CW00956989

LES CORPS
CONDUCTEURS

CLAUDE SIMON

LES CORPS
CONDUCTEURS

LES ÉDITIONS DE MINUIT

© 1971 by LES ÉDITIONS DE MINUIT
7, rue Bernard-Palissy – 75006 Paris

La loi du 11 mars 1957 interdit les copies ou reproductions destinées à une utilisation collective. Toute représentation ou reproduction intégrale ou partielle faite par quelque procédé que ce soit, sans le consentement de l'auteur ou de ses ayants cause, est illicite et constitue une contrefaçon sanctionnée par les articles 425 et suivants du Code pénal.

ISBN 2-7073-0355-0

Dans la vitrine une dizaine de jambes de femmes identiques sont alignées, le pied en haut, la cuisse sectionnée à l'aine reposant sur le plancher, le genou légèrement fléchi, comme si on les avait empruntées à un de ces bataillons de danseuses, dans le moment où elles lèvent la jambe avec ensemble, et exposées là, telles quelles, ou encore, monotones et multipliées, à l'un de ces dessins de publicité représentant une jolie fille en combinaison en train d'enfiler un bas, assise sur un pouf ou le rebord d'un lit défait, le buste renversé en arrière, la jambe sur laquelle elle achève de tirer le bas haut levée, un petit chat ou un petit chien au poil frisé dressé joyeusement sur ses pattes de derrière, aboyant, sortant une langue rose. Les jambes sont faites d'une matière plastique, transparente, de couleur ocrée, moulées d'une pièce, faisant penser à quelque appareil de prothèse légère. L'infirmier (ou le jeune interne) tient sous son bras, comme un paquet, une jambe coupée. Derrière un vieillard à barbiche blanche et à lorgnon, coiffé d'une calotte blanche, revêtu d'une blouse d'hôpital et tenant à la main un scalpel, se pressent une douzaine de personnages plus jeunes revêtus de la même calotte et de la même blouse à tablier qui les fait ressembler à des garçons d'abattoir. La ressemblance est encore accentuée par leurs manches retroussées, les taches de sang qui parsèment leurs vêtements et par le fait que plusieurs tiennent à la main des instruments, scies, pinces, écarteurs, dont quelques-uns sont ensanglantés. De la poche ventrale de leurs tabliers, comme celle d'un kangourou, dépassent des boucles de ciseaux, ou des forceps. C'est l'un d'eux qui tient sous son bras la jambe coupée. Un autre porte un bocal à l'intérieur duquel on peut voir un fœtus accroupi, à l'énorme tête. A la suite du barbu à binocles, ils se dirigent vers une table d'opération sur laquelle est allongée une jeune femme nue. Encadré d'une chevelure blonde, son visage ressemble à celui du Bébé Cadum. Les bras allongés le long du corps, nullement effrayée, elle rit, la tête couchée à plat sur le côté, tournée vers le spectateur, montrant une rangée de dents régulières. Les bouts de ses seins minutieusement dessinés et d'un rose vif sont durcis et dressés. Les visages des jeunes internes sont hilares. Des bas transparents, extraordinairement fins, allant du beige foncé au beige clair, revêtent les jambes. A travers leurs mailles on voit briller la matière plastique moulée. Le docteur lui dit de baisser son pantalon. Au bout de la rue il peut voir l'avenue qu'elle croise, les arbres maigres aux feuilles jaunies du petit square, le trafic, et au-delà la marquise de l'hôtel, faite de verre et de métal, en porte à faux au-dessus du trottoir. Il y a environ une centaine de mètres jusqu'au croisement avec l'avenue et, après celle-ci, encore une quarantaine de mètres jusqu'à la porte de l'hôtel. Les feuilles clairsemées des arbres, d'un vert tirant sur l'ocre ou même rouille, cartonneuses et maladives, s'agitent légèrement devant le fond grisâtre du building qui s'élève au coin de la rue et de l'avenue en lignes verticales et parallèles, comme des orgues. Dans l'ouverture de l'étroite tranchée que forment les hautes façades on peut voir le ciel blanc. A travers l'épaisse brume de chaleur l'extrémité de la tranchée se distingue à peine. Le soleil teinte d'un jaune pâle et comme poussiéreux tout un côté de la rue qu'à cette heure il prend en enfilade. Debout et immobile à côté de la vitrine où se dresse la rangée de jambes, il peut sentir sous sa paume appuyée sur son côté droit les dernières côtes au-dessous desquelles ses doigts tâtent avec précaution la paroi molle du ventre. La planche représente un torse d'homme. Les chairs sont d'un rose ocré. A partir du diaphragme et jusqu'au ras du pubis la paroi abdominale a été découpée, comme un couvercle que l'on aurait retiré. L'ouverture ménagée affecte à peu près la forme de la caisse d'une guitare, légèrement étranglée à hauteur de la taille. A l'intérieur on peut voir des organes pourpres ou bleutés. Là où appuient ses doigts se trouve une masse aux contours mous, d'un rouge brique, comme un sac. A peu près en son milieu il y a une poche vert olive clair, collée à la paroi, arrondie

en un petit dôme sur le haut, et dont la partie inférieure s'amincissant finit en un fin tuyau qui se divise
en une fourche dont les branches disparaissent dans
les replis des lobes rougeâtres. Un second tuyau,
mais celui-ci d'une couleur mauve et d'une section
plus large, s'entrelace avec le premier et ses rami-
fications. Sur le petit dôme formé par la poche verte le
dessinateur a posé un reflet jaune pour obtenir un
effet de brillant. Le docteur lui demande si cela
ressemble à un pincement, une pression ou une brûlure. Maintenant son pantalon pend en accordéon
sur ses chevilles. En baissant la tête il voit son pénis
recroquevillé, ridé, et ses jambes velues. Sur l'un
des murs du cabinet de consultation est accroché un
dessin sous verre représentant une théorie de jeunes
carabins hilares armés de divers instruments chirur-
gicaux et s'avançant à la suite d'un patron barbu
vers une table d'opération où est étendue une jeune
femme nue qui rit de toutes ses dents. Le bureau
du docteur est d'un style indéfini mais pompeux. Le
bois est rouge foncé, luisant. Le pourtour du plateau
est serti d'un filet de bronze doré, orné aux coins de
petites guirlandes. Une sculpture de bronze est posée
sur le bord extérieur du bureau, montée sur un socle
de marbre. Elle représente une femme à demi allongée, le corps et les jambes drapés dans un péplum
aux plis nombreux. Sur les parties saillantes — la
tête, le genou, le cou-de-pied sur lequel se retrousse
la draperie — le bronze poli prend une couleur jau-

nâtre et luit. L'un des bras de la femme entoure une sorte d'urne ouvragée, pourvue d'un couvercle articulé à une charnière. Sur le bord du couvercle une encoche en demi-lune ménage le passage pour un porte-plume, mais le trou est vide. A partir de ses mâchoires serrées la contraction des muscles se propage jusqu'aux tempes. Les muscles sont agités de légers tiraillements. Il sent la sueur glisser sur sa peau, à travers ses cheveux, dans le cou et le dos. La chaleur grisâtre, palpable, semble entassée entre les parois brun sale de la rue. Légèrement courbé en avant, le visage rigide, il s'approche de la bouche d'incendie qui sort du trottoir, à la base de l'immeuble, sur la droite de la vitrine. La bouche d'incendie est constituée par un fort tuyau de fonte, peint en rouge, qui monte d'abord verticalement puis se recourbe vers l'avant en même temps qu'il se divise en deux branches horizontales dont les ouvertures sont fermées par un manchon que rattache au tube une petite chaînette. Les deux branches divergentes sont suffisamment rapprochées pour former une sorte de siège sur lequel il s'assied. Dans cette position la douleur ne diminue pas mais il n'a plus à faire l'effort de se tenir sur ses jambes. Deux nègres revêtus de combinaisons blanches et coiffés de casquettes à longues visières sont occupés à décharger un camion arrêté au bord du trottoir. Ils en extraient de volumineuses boîtes de carton qu'ils portent à l'intérieur du magasin en les tenant embrassées sur leurs poitrines, le buste penché en arrière, la tête tournée de côté, la joue collée contre la paroi de la boîte. Tandis qu'il suit l'un d'eux des yeux il s'aperçoit que celui-ci le regarde. C'est-à-dire que, sans cesser de marcher avec sa charge en traversant le trottoir, le nègre le dévisage pendant une fraction de seconde. Puis il disparaît à l'intérieur du magasin qui, à vrai dire, semble plutôt un entrepôt. Lorsqu'il ressort un moment plus tard, son regard se tourne de nouveau vers lui, restant fixé un peu plus longtemps que pendant le trajet aller, puis se détournant, tandis que tout en retraversant le trottoir il s'affaire à déchirer et replier l'emballage de carton maintenant vide qu'il aplatit et jette sur la chaussée sous l'arrière du camion où il le pousse du pied, repoussant en même temps les autres emballages qui s'y accumulent déjà. Tandis qu'il attend que quelqu'un à l'intérieur du camion lui passe une autre caisse, le blanc de ses yeux apparaît, la pupille en coin, dirigée une nouvelle fois vers la bouche d'eau. Son visage marron et luisant est orné d'une courte moustache. La mâchoire inférieure est démesurée et ses joues gonflées comme s'il avait la bouche pleine. Puis le blanc des yeux disparaît. Cette fois, quand il repasse, une nouvelle caisse serrée contre sa poitrine, ses paupières sont baissées, son attention semblant être concentrée à ses pieds pour ne pas trébucher sur le seuil du magasin où il s'engouffre sans marquer de temps d'arrêt. A la base de l'immeuble, tout contre la bouche d'incendie, l'appareil du mur est constitué de larges blocs de pierre grise jusqu'à hauteur d'homme. Au-dessus et jusqu'au second étage, des blocs plus étroits, séparés par des joints en creux, forment des bandes horizontales et parallèles. En renversant la tête il voit toute la façade qui, au-dessus, est en briques brunâtres. Elle s'élève vers le ciel blanc, percée régulièrement de fenêtres carrées sans balcons ni encadrement et dont la grandeur apparente et les intervalles décroissent progressivement, leur succession dessinant des lignes de fuite convergentes interrompues à la hauteur du vingtième étage et que l'œil prolonge vers leur point de rencontre dans le vide éblouissant et décoloré. Pris d'un léger vertige il abaisse la tête, son regard parcourant maintenant de haut en bas la façade brune puis grise. Il découvre alors un peu au-dessus de lui, sur les dalles de pierre qui forment le soubassement de l'immeuble, de hautes lettres blanches dessinant le mot DIOS. Penchant le buste de côté, il peut lire l'inscription dans son entier : DIOS ES AMOR, tracée en lettres capitales irrégulières et mal alignées, larges de deux doigts. Le dernier jambage de l'R final est démesurément étiré. La peinture liquide a dégouliné en franges plus ou moins longues à partir des boucles inférieures ou des pieds des différentes lettres, la pâte s'accumulant et formant à chacune de leurs extrémités une boule aplatie qui s'est solidifiée. Comme les franges du O du mot DIOS descendent exactement à hauteur de son œil, celui-ci peut voir les légères sinuosités du trajet suivi par la peinture lorsqu'elle a glissé sur la surface granitée et rugueuse de la pierre, déviée par ses minuscules aspérités. Au-dessus de l'inscription et à l'aide de la même peinture blanche a été tracée une croix dont les bras laissent pendre également des rigoles de sang blanc. Un personnage au crâne chauve, à la longue barbe, le buste revêtu d'une cuirasse qui fait place, à partir de la taille, à une courte jupe, se tient debout sur une plage. Il a retiré son casque et le tient au creux, de son bras replié dont l'index tendu est pointé en direction d'un crucifix que son autre main élève vers le ciel vert. Sur la droite, quelques hommes et quelques femme à demi nus joignent les mains, inclinant la tête, le dos courbé, ou mettant un genou à terre. Quelques-uns d'entre eux sont encore à demi cachés par une végétation exubérante, de larges feuilles découpées, ou minces, pointues, hérissées, que dominent de hauts palmiers aux troncs penchés. A ce moment, le règne en salopette blanche ressort du magasin, tordant entre ses mains et aplatissant un nouvel emballage de carton brun. Pas plus que pendant le trajet aller il ne regarde en direction de la prise d'eau. Les feuillages, les indigènes agenouillés, sont représentés dans un camaïeu vert, ainsi que le guerrier qui brandit le crucifix. Le nègre semble avoir des difficultés à faire rentrer l'emballage de carton dans la masse des autres cartons déjà accumulés entre les roues du camion. Il donne de vigoureux coups de pied mais une des faces du dièdre formé par le carton replié persiste chaque fois à se relever. Derrière le guerrier chauve se tient un groupe de personnages revêtus d'armures, casqués, armés de lances et d'arquebuses, et plus loin quelques marins achèvent de tirer sur le sec une chaloupe dont les vagues de jade lèchent encore la poupe. Le grand nègre est maintenant courbé en deux, le buste horizontal, se maintenant d'une main au rebord du plateau du camion, sa jambe droite lançant des ruades dans le tas formé par les emballages qu'il parvient peu à peu à tasser un peu plus avant sous le camion. Sur sa casquette à longue visière et sur la pochette de sa combinaison blanche est brodée une petite jambe de femme de couleur beige, à demi fléchie, le pied vers le haut, surmontée d'un sigle de deux lettres entrelacées. Le timbre vert pâle est de forme allongée, encadré d'une étroite marge blanche aux bords dentelés. La croix que la main gantée d'acier du vieux guerrier montre aux sauvages est entourée de rayons divergents, comme un soleil, dans le ciel couleur d'absinthe. L'ombre cruciforme de l'avion se déplace rapidement sur une surface pelucheuse ou plutôt crêpue d'un vert presque uniforme, à peine nuancé çà et là de touches plus foncées ou jaunâtres. Les contours de la croix sont agités d'imperceptibles déformations tandis qu'ils passent sur les dômes pressés d'une végétation exubérante formée de grands arbres et d'épais buissons que dominent de hauts palmiers aux troncs penchés, comme une mousse géante, recouvrant tout, ne s'ouvrant que pour laisser place à des cours d'eau ou des marécages herbus. L'eau des marécages est d'un gris métallique. Les rivières ont des tracés méandreux, convulsifs, se tordant en replis jaunes. Sous la masse rougeâtre et sa petite poche verte vient se presser un gros tube livide, boursouflé, parcouru de fines veinules bleues dont l'ensemble dessine un carré approximatif inscrit dans l'ouverture en forme de guitare pratiquée sur le devant du corps. Le côté supérieur du carré s'infléchit sous son poids, comme une guirlande. L'intérieur est entièrement empli par les replis sinueux d'un autre tube plus mince, semblable à un gros ver de terre, se tordant sur lui-même convulsivement. L'ensemble est animé de lents mouvements de contraction et de décontraction, se déformant imperceptiblement. Les mâchoires toujours serrées, la sueur coulant sur ses tempes et perlant en gouttes à sa lèvre supérieure, le regard inexpressif, l'homme malade glisse la main gauche dans la poche de son pantalon, deux doigts tâtonnant à l'intérieur du paquet dont ils extraient une cigarette qu'ils plantent dans la bouche. Après quoi il reste là, la cigarette non allumée fichée entre ses lèvres, les maxillaires soudés, l'extrémité de la cigarette agitée de faibles mouvements de bas en haut que lui communique le tremblement des lèvres. Un système simple de relais mécaniques à partir des roues entraîne les bras du lapin qui s'avance sur le trottoir. Armés de petites baguettes les bras se lèvent et s'abaissent tour à tour, les petites baguettes venant frapper un timbre de cuivre placé devant l'animal sur la planchette qui lui sert de socle. Le lapin a de grandes oreilles blanches. Il est vêtu d'un tricot jaune et d'un pantalon rouge. La main de l'enfant qui le traîne par une ficelle exerçant des tractions irrégulières, le lapin progresse par saccades. Lorsqu'il s'immobilise les bras s'immobilisent aussi et le léger tintement du timbre sous les baguettes cesse. L'intestin comprend deux parties principales : l'intestin grêle et le gros intestin. L'intestin grêle mesure en moyenne 7 mètres de long. Le gros intestin ou côlon commence par le cæcum, se continue par le côlon droit, le côlon transverse, puis le côlon gauche qui aboutit au côlon sigmoïde. Le docteur lui dit de s'allonger sur la table d'examen. Celle-ci est en métal, constituée par un plateau de tôle supporté par de minces montants. Le tout est recouvert d'une peinture brillante, couleur coquille d'œuf. Sa morphologie succincte, son aspect squelettique, incongru, ses pattes grêles, de même que la peinture laquée, contrastent avec le tapis laineux aux dessins rouges, bleus et verts, le bureau acajou, les ornements de bronze et les fauteuils de cuir. Les chevilles entravées par le pantalon tombé sur ses pieds, il s'avance maladroitement vers le plateau ripoliné. Le docteur est âgé d'une quarantaine d'années. Il ressemble à un banquier ou à un homme d'affaires dont il a l'expression à la fois concentrée, absente et froide. Il est chauve, bronzé, et porte des lunettes à monture d'or et un coûteux costume gris coupé dans un tissu souple. Ses mains aux ongles manucurés sortent de manchettes immaculées aux poignets maintenus par des boutons en or de forme carrée. Tandis qu'il se hisse sur la table, pivote sur ses fesses en élevant ses chevilles entravées, le docteur tire rapidement une montre de la poche de son gilet, y jette un bref coup d'œil, la refourre dans son gousset puis s'approche de la table d'examen. Les tracés rougeâtres ou boueux des rivières dessinent des méandres dont les boucles revenant sur elles-mêmes se rejoignent presque, se tordant convulsivement comme ces vers de terre sectionnés d'un coup de pelle, ou des serpents. La végétation touffue ne laisse nulle part apparaître la terre. On n'aperçoit aucune trace de vie humaine, aucun chemin, aucun sentier, aucune maison, aucune hutte. Sans cesser de se convulser les cours d'eau s'élargissent brusquement, prenant alors la forme de flammes ou plutôt de ces lames de poignard trapues et ondulées, dont ils ont alors l'éclat métallique, et ils se perdent parmi les buissons et les hautes herbes à travers lesquelles étincelle parfois comme sur des plaques d'étain le reflet du soleil qui se déplace à la même vitesse que l'avion. Par endroits on aperçoit un arbre aux racines sans doute pourries, abattu par quelque ouragan, à demi immergé, soutenu hors de l'eau par les branches qui plongent dans le marécage. Le serpent est lové sur un tronc où ne subsistent plus que quelques plaques d'écorce et dont l'aubier mis à nu apparaît, d'un blanc jaunâtre, comme un os. L'animal ressemble à un gros tuyau qui s'infléchit sous son poids, pend en courbes molles à partir des points où il est accroché. Le corps est décoré de losanges bruns, d'une géométrie parfaite, avec un point clair au centre. Dessinés par les écailles, les côtés des losanges ainsi que les contours du point central sont découpés en dents de scie, comme ces motifs de broderie qui ornent les rideaux de filet. Sous l'image est écrit le mot *serpent*, en caractères gras, et au-dessous, en lettres bâton plus minces, *boa constricteur*. L'ordre des serpents, ou *ophidiens*, comprend 2 300 espèces des régions chaudes ou tempérées. Le corps est à peu près cylindrique, allongé (jusqu'à 12 m chez l'anaconda), couvert de petits replis écailleux, sauf au ventre qui porte de larges bandes transversales. La tête porte des yeux sans paupières, une langue bifide exploratrice (mais nullement venimeuse), une bouche qui. *Serpent corail*, v. Elaps./*Serpent à lunettes*, v. Naja./*Serpent minute.*/*Serpent à sonnettes*, v. Crotale. *Serpentaire* n.m. Rapace diurne au bec recourbé, à l'œil entouré de cartilages d'un rouge sanguinolent; sa tête est munie d'une houppe de plumes sombres, son poitrail est blanc, de courtes plumes dorées nuancent le dos de son cou et les attaches des ailes qui se teintent de brun foncé à leurs extrémités ainsi que les cuisses.

Il est caractérisé par ses très longues pattes recouvertes d'une peau cornée jaune et terminées par des serres aiguës et recourbées. Il s'avance d'une démarche de héron parmi les hautes herbes. En écharpes d'abord, fuyant rapidement, puis en paquets grisâtres s'agglutinant, laissant encore voir des morceaux du marécage par leurs déchirures, puis formant à la fin une nappe continue, les nuages s'interposent devant le paysage. L'ombre de l'avion court maintenant sur la surface éblouissante, auréolée d'un cercle aux pâles couleurs irisées, s'affaissant et remontant sur le moutonnement des bosses. Sous une traction trop brusque de l'enfant déséquilibrant la planchette, le lapin vacille et se couche sur le côté. L'enfant continue à le traîner ainsi pendant quelques mètres, puis se retourne et s'arrête. Sa mère s'arrête aussi. Le grand nègre qui se dirige de nouveau vers le magasin est obligé d'enjamber la ficelle maintenant distendue qui va du poing fermé de l'enfant au lapin. Au-delà de la rangée des jambes levées on peut voir à l'intérieur du magasin des rayons où s'empilent des boîtes de carton blanc et brillant. Les rayons courent sur les trois côtés du magasin dont le quatrième est constitué par la vitrine et la porte. Les boîtes rangées et empilées délimitent ainsi de façon à peu près continue (certains rayons sont incomplètement garnis, présentant des vides et il y a aussi une porte dans le mur du fond) un espace à peu près cubique occupé par un long comptoir de bois jaune, une table supportant une machine à écrire et quelques chaises au dossier de bois courbé, jaune également. Par endroits les hauts buildings qui bordent la rue sont séparés par des maisons de cinq, quatre, ou même trois étages. Cependant, en dépit de ces créneaux et de la largeur de la chaussée, l'impression est celle de parois élevées et resserrées de part et d'autre d'un étroit couloir. Cette impression est encore accrue du fait de l'extrême longueur de la rue qui s'étend en droite ligne sur plusieurs kilomètres jusqu'au lac, son extrémité se perdant, diluée, dans la brume, et aussi par la prolifération désordonnée des enseignes et des panneaux-réclames fixés à la hauteur du premier étage et débordant au-dessus des trottoirs. Non que les enseignes soient particulièrement abondantes, mais, vues en enfilade, elles se chevauchent, se superposent, de telle sorte que l'enchevêtrement des lettres ou des dessins multiplie leur nombre. La plupart sont faites de tubes de néon, sans éclat à cette heure, poussiéreux et grisâtres dans le pâle soleil de chaleur. D'autres sont en matière plastique (des rectangles plus ou moins allongés ou des cubes étagés portant chacun une lettre), violemment colorée, et offrent un bariolage chatoyant où dominent le rouge et le vert. Penchée maintenant sur l'enfant sa mère lui montre plusieurs fois du doigt le lapin couché sur le trottoir, puis sa main qui tient l'extrémité de la ficelle. Suivant le geste répété, le regard de l'enfant va du jouet à son poing fermé qu'il lève à hauteur de ses yeux et considère avec attention. La mère marche alors jusqu'au lapin, s'accroupit, et le redresse. Une large trouée dans la mer de nuages permet de voir de nouveau la terre, ou plutôt la même étendue végétale : les dômes serrés des arbres, les buissons, les souches mortes couleur d'ossements et les hautes herbes à travers lesquelles se ramifient et se tordent des bras d'eau apparemment stagnante, boueuse ou couleur d'étain. Chargées de paquets, deux gigantesques négresses s'avancent de front. Leurs bras à la peau marron foncé, aux muscles longs, nus jusqu'aux épaules, sortent de leurs corsages de soie brillante, sans garnitures, comme des maillots, sous lesquels remuent leurs seins ovales. On voit luire le blanc de leurs yeux et l'éclat sauvage de leurs dents. Les reflets du soleil courent toujours à travers les vergetures des herbes, comme un éclat de bronze se déplaçant rapidement à la même vitesse que l'avion. Dominant les plus hautes façades, les formes de quelques gratte-ciel se dressent à travers la brume qui les décolore, se confondant presque avec le ciel blanc, grisés par les pointillés de leurs milliers de fenêtres en lignes verticales (ou horizontales, suivant la priorité donnée par les architectes à l'un ou l'autre des styles), semblables à des colonnes sans chapiteaux, plates, et de hauteurs inégales. La page est divisée en trois colonnes verticales. L'accumulation des caractères serrés leur donne une teinte grisâtre. La photo en couleur du boa occupe le haut de la colonne de gauche. L'article Serpent commence à la page précédente au-dessous de Serpens (nom latin de la constellation du Serpent) et, en remontant encore : Serpe, Serpa Pinto (Alexandre Alberto da Rocha) : explorateur portugais. Les têtes d'articles sont en caractères gras. Serratula : herbe vivace, rustique, à fleurs purpurines, pouvant atteindre 1,20 m de hauteur. Serrano y Dominguez (Francisco), duc de la Torre, maréchal et homme politique espagnol (Isla de León, auj. San Fernando). Des plus hauts étages des gratte-ciel on peut voir ceux-ci surgissant de loin en loin ou par grappes de la nappe laiteuse qui stagne sur la ville et s'élevant dans le ciel pâle où les vitres de leurs fenêtres étincellent. Ils sont de couleur brune, rose, noire, ocre ou grise, s'estompant peu à peu à mesure que l'œil descend, de sorte qu'ils semblent flotter, suspendus, verticaux, géométriques et sans poids, sur une base immatérielle, comme les sommets des montagnes dans les lavis des peintres chinois, se profilant en taches d'encre tandis que leurs assises se diluent, se fondent dans un lavis gris perle. Déchiré de loin en loin mais de façon constante par les longs hurlements des sirènes des pompiers ou de la police, un grondement continu s'élève de la nappe brumeuse en même temps que des bouffées malodorantes et chaudes de gaz d'échappement mêlées aux relents de choux et d'huile rance. Il est impossible de distinguer le trafic et la foule qui s'écoulent au fond des canyons de pierre et de briques. L'une des deux géantes noires porte un pantalon fait de la même soie noire et brillante que les corsages, l'autre un pantalon rose. Sur un des paquets dont elles sont chargées est dessiné un œil énorme, d'un demi-mètre de long environ, agrandissement photographique d'une gravure en taille-douce, avec le réseau des courbes entrecroisées des traits au burin suggérant le bombé de la paupière. Se tenant très droites, marchant à grandes enjambées, elles dépassent le lapin, puis le groupe formé par la mère et l'enfant. Assis sur la prise d'incendie, l'homme malade voit leurs visages sauvages et lisses passer très haut au-dessus de lui, ténébreux, surpassant les sommets estompés des gratte-ciel. La mère enferme la main libre de l'enfant dans une des siennes et se redresse. C'est une jeune femme à la chevelure blonde tirée en chignon, au corsage noué sous la poitrine, les hanches, les fesses et les cuisses prises dans un bermuda au dessin fleuri dans les tons vert pomme et jaune citron. Elle porte une sacoche de cuir en bandoulière. Entre la blouse nouée et la ceinture du bermuda la peau apparaît à nu, hâlée, d'une couleur dorée. Situé sous le diaphragme et pesant de 1 500 à 2 000 grammes, le foie mesure environ 28 centimètres de large, 16 centimètres de profondeur et 8 centimètres de hauteur Il occupe la totalité de l'hypocondre droit et déborde plus ou moins à gauche. Sa couleur est rouge brun, sa consistance ferme, mais friable. Il prend les empreintes des organes voisins. A la face inférieure du foie se trouve le pédicule hépatique par où arrivent l'artère hépatique (sang oxygéné) et la veine porte (sang venant du tube digestif et lui apportant les éléments nutritifs qu'il transformera) et par où émerge le canal hépatique, conduisant la bile vers le cholédoque, puis l'intestin. Les hautes silhouettes des gratte-ciel sont toutes d'une teinte uniforme, brun foncé, à peine nuancée. Dans l'épaisse brume blanchâtre où disparaissent leurs pieds on ne distingue que quelques reflets fugitifs s'allumant et s'éteignant presque aussitôt, lorsque, par exemple, le soleil se réfléchit sur la vitre d'une voiture. Il étincelle aussi sur une longue ligne droite, d'un jaune citron, d'abord très pâle puis se précisant peu à peu, bronze, à mesure qu'elle se dégage de la brume, vers le bas de la photographie où l'on reconnaît alors la chaussée polie d'une autoroute, luisante dans le contre-jour. La photographie a sans doute été arrachée d'un magazine où elle s'étalait en double page car on peut distinguer sur son axe médian les trous laissés par les agrafes du brochage. Elle est collée dans l'angle inférieur droit d'une vitrine. Immédiatement à sa gauche et sur le côté inférieur de la vitrine se suivent trois photographies plus petites, de même taille, où l'on peut reconnaître la même scène avec de légères variantes de l'une à l'autre, comme sur les images successives d'un film. Devant une pelouse vert pomme, on distingue les deux tiers d'une longue automobile découverte sur la banquette arrière de laquelle est agenouillée au rebours du sens de la marche une femme vêtue et chapeautée de rose. Sur la seconde image la femme a engagé le buste au-dessus du coffre et l'une de ses jambes escalade le dossier de la banquette. Sur la troisième la femme se trouve maintenant à quatre pattes sur le coffre, nez à nez avec un homme qui a sauté d'un bond sur le pare-choc, et le bord d'un massif planté de fleurs rouges et jaunes apparaît sur le côté droit de la photographie. En plus de ces images tout le bas de la vitrine est empli par des photos de jeunes hommes ou d'hommes mûrs, aux têtes d'acteurs, la plupart souriants, au centre desquelles on a placé le portrait d'un homme au physique également d'acteur de cinéma, les joues pleines, les cheveux séparés par une raie sur le côté, souriant lui aussi. Cette dernière photographie est encadrée de deux rubans, l'un tricolore, l'autre noir, courant ensemble et se rejoignant en un nœud à coques au milieu du côté inférieur. A l'intérieur de la vitrine, contre la glace, leurs pans retombant derrière les photographies, deux rideaux de dentelle brodés de guirlandes de feuilles entourant un oiseau s'écartent en deux courbes symétriques. Soit saleté, soit qu'ils aient été teintés, ou encore jaunis par le soleil, ils sont d'une couleur pisseuse. Suivant le quadrillage des mailles du filet, les dessins ont des contours en escaliers. Bien qu'il soit fragmenté et télescopé par les plis, on peut reconnaître dans l'oiseau un paon à la longue queue tombante. La classique enseigne des coiffeurs constituée par un cylindre de verre dépoli autour duquel s'enroulent des lignes hélicoïdales alternativement rouges et bleues, et surmonté d'une boule blanche, est fixée sur le côté de la boutique. Celle-ci, peinte d'un vert olive, occupe le bas d'une maison de briques, pourvue d'un escalier de fer extérieur, le tout recouvert d'un badigeon rosâtre dont l'épaisseur empâte les reliefs des briques et les creux des joints. Dans le triangle sombre entre les courbes des deux rideaux se reflète l'alignement des jambes levées dont les cuisses se superposent aux photos d'acteurs, à celle des gratte-ciel émergeant de la brume et à la suite d'images où la femme en rose rampe sur l'arrière de la voiture. L'image reflétée de l'homme malade assis sur la prise d'incendie, sa cigarette intacte entre les lèvres, apparaît en surimpression sur les fleurs et le paon de dentelle pisseuse. Éclatante dans le soleil, la haute silhouette du nègre en salopette blanche coupe au passage les jambes alignées que continue à lever avec une optimiste persévérance le bataillon des danseuses aux costumes pailletés englouties, comme avalées par une trappe, quelque part dans l'au-delà ténébreux de la boutique du coiffeur. Contrastant avec les reflets lumineux des passants qui se croisent sur le trottoir ensoleillé (et parmi lesquels on voit toujours le groupe arrêté de la femme et de l'enfant au lapin), la brochette des jambes coupées, avec leur vague aspect de prothèse, semble remisée là, comme les accessoires ternis par la lumière du jour d'un monde burlesque, artificiel et nocturne. Une brochette de vieilles dames aux toilettes voyantes est posée sur l'une des banquettes du hall de l'hôtel à l'épaisse moquette rouge et aux colonnes de marbre. De l'intérieur de la cabine téléphonique il peut voir les visages fanés et peints surmontés de chapeaux fleuris, comme de gros bégonias aux teintes suaves, roses ou bleu pâle. Dans un vide lointain la sonnerie d'appel retentit à intervalles réguliers. Lorsqu'elle s'interrompt il peut entendre le silence couler lentement avec un léger chuintement comme des épaisseurs de temps s'enfuyant avec une inexorable continuité. L'avion semble suspendu immobile dans un espace sans repères au-dessus de l'étendue plate des nuages à peine bosselée qui s'étend en avant, en arrière, à droite et à gauche. Au-delà de la porte à tambour il peut voir la nuit traversée de lumières, les phares mouvants des voitures. Les longs coups de sifflet du chasseur appelant des taxis se succèdent presque sans interruption. Des gens habillés pour le dîner ou le spectacle sortent par moments des ascenseurs et s'avancent sur la moquette rouge. Sous la traction trop brusque de l'enfant tiré par sa mère la ficelle se tend mais, à peine en marche, le lapin vacille et tombe de nouveau sur le côté. Le portier en uniforme marron orné de boutons dorés apparaît, sortant de la porte à tambour et s'avance vers le groupe des vieilles dames en fixant l'une d'elles et soulevant sa casquette. La sonnerie est interrompue avant sa fin par un déclic et une voix d'enfant claire et joyeuse dit Allô ? La vieille dame se lève et s'appuyant sur sa canne se dirige vers la porte. Elle est coiffée d'un volumineux chapeau rose garni de pétales de fleurs sous lequel son visage maigre et peint ressemble à un morceau de bois desséché. Un léger manteau trois quarts, coupé dans un tissu soyeux et rose, pend de ses épaules osseuses et de son dos voûté. Dans les bas blancs et brodés les tibias maigres aux chevilles pointues terminés par des souliers pointus dessinent un V, les talons rapprochés, les pointes des souliers divergentes, les genoux écartés, comme ceux des vieux officiers de cavalerie. Le portier, maintenant revenu vers le tambour dont il maintient d'une main l'un des panneaux, sa casquette tenue par son autre main devant sa poitrine, observe la difficile progression de la vieille dame sur l'immensité rouge du tapis. A l'autre bout du fil la voix claire et joyeuse de l'enfant répète Allô ? Allô ? Au-dessus du plateau de nuages on peut voir la lune dans le ciel vide, comme une pastille blanche pas tout à fait ronde. Entre le lapin couché sur le flanc et la main de l'enfant la ficelle détendue serpente sur le trottoir en courbes molles. Le Serpent est une constellation équatoriale dont le tracé est dessiné par de belles étoiles distribuées sur une large étendue du ciel. Surgissant tout à coup des nuages, l'arête enneigée d'une montagne s'élève au-dessous de l'avion, d'une incroyable minceur, aiguë, avec ses vertigineux dévers de glace étincelant dans le soleil, presque verticaux, inviolés, et son échine de rochers déchiquetés. Elle ondule et se tord comme la nageoire dorsale d'un congre ou d'une murène émergeant un instant, luisante, dans des remous d'écume. Les nuages fouettés avec violence s'écartent, s'effilochent en écharpes grisâtres accrochées aux parois éblouissantes, les roches en dents de scie semblables aux vertèbres de quelque monstre, quelque furieux et gigantesque saurien au nom fabuleux de titan, de société minière ou de constellation (Aconcagua, Anaconda, Andromeda) se convulsant, écrasant sous son ventre de terre, ses millions de tonnes, la fange verdâtre et puante des marécages et des forêts invisibles, tout en bas, sous l'étouffant couvercle de nuages. Le vieil immeuble badigeonné de rose au rez-de-chaussée duquel se trouve la boutique du coiffeur est sans doute promis à une démolition prochaine car il est séparé de l'immeuble suivant par un vaste espace vide bordé le long du trottoir par une palissade. Au-dessus de celle-ci, sur un grand panneau, s'allonge la liste des nombreuses entreprises qui collaborent à la construction du building dont les premières poutrelles d'acier passées au minium commencent à s'élever. Leurs spécialités (charpente métallique, revêtements, ascenseurs, conditionnement d'air, plomberie) sont mentionnées en petits caractères noirs. A chacune correspondent un ou plusieurs noms en grandes lettres rouges. Les noms ont des consonances variées, méditerranéennes, anglo-saxonnes, ou d'Europe centrale : MINELLI & FALK, BRONSTEIN, MAC ALLISTER, SANCHEZ LA TORRE, S. STEPHANOPOULOS, HUTCHINSON, O'HIGGINS, WURTZ, ALVAREZ & SILVA, KOLAKOVSKI, etc. La colonne des noms les uns au-dessus des autres atteint plusieurs mètres de hauteur. Immédiatement à droite est représentée une vue en élévation du gratte-ciel tel qu'il apparaîtra une fois terminé, côte à côte avec une coupe longitudinale de l'édifice permettant de voir, comme si l'on en avait retiré la façade, l'intérieur divisé en casiers rectangulaires accolés et entassés les uns sur les autres. Aux divers étages, dans les diverses pièces, des hommes et des femmes se tiennent assis dans des fauteuils ou derrière des bureaux, ou debout, ou encore serrés dans les ascenseurs. Des machines (des génératrices, des souffleries, des chaudières) dont les plus grosses sont réparties dans les sous-sols, sont aussi représentées, avec la précision des dessins industriels, ainsi que les tubulures et les conduits qui en partent, s'élèvent, se subdivisent et s'irradient dans toute la construction. On voit encore des ventilateurs, des armoires et des bureaux métalliques, de longues tables de conseils d'administration, des comptoirs, de vastes salles de réception ornées de colonnes, des corridors qui s'enfoncent dans l'intérieur, des toilettes aux parois de céramique. Séparés par les cloisons et les planchers, s'ignorant les uns les autres, les petits personnages qui peuplent chacune des alvéoles sont représentés dans des attitudes de travail, dictant des lettres, tapant à la machine, recevant des visiteurs, tenant des conférences ou examinant des graphiques. Tout (les peintures des murs et des machines, les meubles, les rideaux, les tissus des fauteuils, les vêtements et les visages des occupants) a un air pimpant, fonctionnel et imputrescible. A la recherche sans doute de quelque charogne, de quelque cadavre putréfié d'animal, ses immenses ailes déployées, immobile et impondérable, un oiseau au plumage bleu noir se laisse porter sur l'air le long des parois glacées de la montagne. Au moyen d'imperceptibles mouvements il infléchit sa lente trajectoire dans un sens ou dans l'autre, puis, glissant en oblique, il amorce un large cercle qui le rapproche de la paroi, l'en éloigne, l'en rapproche de nouveau. Couleur de nuit dans l'éblouissante lumière, rigide et vigilant, on dirait un de ces cerfs-volants à la découpe d'oiseau de proie, ou un de ces rapaces empaillés accrochés par un fil au plafond d'une boutique de naturaliste. Son cou déplumé, d'un rose vif et couvert d'excroissances charnues, s'étire hors du duvet blanc qui entoure ses épaules comme un châle ou un col de fourrure. Ses plumes ont une consistance et des reflets bleus d'acier. Son crâne chauve, osseux et bosselé, ses pattes, sont d'un gris verdâtre, cadavérique. Perché maintenant sur un rocher, il tourne la tête par saccades, son œil jaune et fixe en alerte. D'un soudain coup de bec il déchiquette quelque pourriture où s'enfoncent ses serres. Des rubans élastiques d'intestins ou de chair morte s'étirent, lui échappent, ou se déchirent. Il redresse alors le cou, de nouveau vigilant, la tête pivotant brusquement sur son support, s'immobilisant tout aussi brusquement, l'œil cerclé de rouge, vide, sauvage, le lambeau de viande puante pendant sous son bec oscillant à chaque mouvement. La palissade de planches est couverte de lambeaux d'affiches superposées et déchirées, aux couleurs délavées par la pluie et le soleil, et dont les lettres, de même que celles des enseignes vues en enfilade, s'entremêlent et se chevauchent. Primitivement rouges, bleues ou vertes, les lettres sont à présent d'un rose fané, vert olive ou bleu gris sur le fond lui-même gris. Aucun mot n'est lisible en entier. Il n'en subsiste que quelques fragments énigmatiques, parfois impossibles à compléter, permettant d'autres fois une ou plusieurs interprétations (ou reconstitutions) comme, par exemple, ABOR (lABOR, ou ABORto, ou ABORecer ?), SOCIA (SOCIAlismo, aSOCIAción ?) et CAN (CANdidato, CANibal, CANcer ?). Les textes des affiches lacérées semblent toutefois (à moins qu'il ne s'agisse là que de coïncidences, ou de l'effet d'une disposition d'esprit particulière du déchiffreur) avoir été de nature politique, tels qu'annonces de meetings (MITIN), de réunions syndicales, ou encore ces proclamations emphatiques à l'occasion d'une grève ou de quelque autre événement. En dépit de son attention, il ne parvient à saisir le sens que de quelques bribes ici et là dans le discours, non seulement en raison de sa médiocre connaissance de la langue mais aussi parce que le débit de l'orateur, quoique solennel, se précipite parfois. Dans l'ensemble il est en tout cas trop rapide pour que le temps exigé par la traduction mentale des quelques mots qu'il reconnaît au passage n'empiète sur la suite des paroles, de sorte que, lorsqu'il peut écouter de nouveau, l'orateur a déjà entamé une autre phrase dont, même s'il aurait pu la comprendre, il n'a pas enregistré le début. Néanmoins, par les quelques fragments qu'il en retient, il apparaît que, pour l'essentiel, le discours consiste en considérations ou en déclarations d'ordre social et politique où les substantifs à la résonance un peu fanée, comme les couleurs des affiches, par l'emploi et le temps, tels que Liberté, Révolution, Solidarité ou Unité, reviennent fréquemment. Sculptés dans la masse d'un bois acajou, deux animaux, un condor au cou déplumé et un léopard, encadrent un blason où une corne d'abondance est suspendue au-dessus de la mer entre deux palmiers. La mer est représentée par des lignes onduleuses et parallèles en légère saillie dans le bois rougeâtre. Les contours du blason sont découpés et se recourbent en avant en s'enroulant sur eux-mêmes comme ceux des écus de certaines armoiries germaniques. Les deux animaux héraldiques sont eux-mêmes encadrés à droite et à gauche par des angelots joufflus soufflant dans des trompettes. Leurs longs tubes aux pavillons évasés s'écartent en rayons divergents, comme ceux d'un soleil ou les branches d'un éventail. Au-dessus, le buste du président apparaît, comme engoncé, coupé un peu au-dessous des épaules par le rebord de la tribune qui s'avance en une corniche que supportent sur leurs épaules des cariatides et des atlantes aux mamelles et aux ventres musculeux, bombés, disparaissant dans les plis d'une draperie sculptée dans la même pièce de bois. Le président est un homme jeune, aux cheveux coiffés en arrière, l'œil vigilant et attentif, légèrement anxieux. Les délégués des divers pays réunis dans l'hémicycle sont assis dans des stalles d'acajou aux sièges de cuir noir et aux dossiers sculptés en forme de frontons baroques, comme ces lourds meubles de salle à manger dans le goût allemand de la fin du siècle dernier. De petites lampes aux abat-jour verts, inutiles à cette heure où le jour qui tombe de la verrière inonde tout l'hémicycle, sont fixées sur la gauche de chacun des pupitres correspondant à chacune des stalles. Sur les pupitres sont préparées des feuilles blanches où figure, en haut et à gauche, le même écusson entouré des deux animaux héraldiques qui décore la tribune, surmonté d'une banderole où l'on peut lire l'inscription latine : ORDO JUSTICIAQUE LIBERTAS. Au-dessous du blason les mots CAMARA DE DIPU-TADOS dessinent une ligne sinueuse comme s'ils étaient eux aussi brodés sur une banderole (mais celle-là invisible) ondulant dans le vent. Au croisement de la rue et de l'avenue défile sans trêve une foule dense, vêtue de clair, dont le flot est interrompu puis libéré à intervalles fixes par les feux du carrefour. Les passants ou les groupes qui la composent, marchant en directions opposées, se croisent, s'infiltrent les uns dans les autres, de sorte que, de loin, les divers mouvements se neutralisant, elle offre l'aspect d'un amalgame de petites taches aux dominantes pastel, l'œil ne pouvant suivre aucune d'entre elles en particulier, leur masse paraissant stagner, constituer un élément statique dans l'ensemble géométrique des constructions, comme une bande horizontale ou plutôt une plinthe pointilliste qui cache la base des hautes façades gris pâle. Le grouillement des petites particules multicolores qui ne progresse ni dans un sens ni dans l'autre et reste d'une densité toujours égale est oblitéré et démasqué tour à tour, à la cadence régulière des feux, par le flot des voitures où dominent les carrosseries jaunes des taxis. Au contraire de ces mouvements de foule concertés (processions, cortèges, manifestations politiques), on ne peut y percevoir aucune direction privilégiée, aucune vection dominante. Quoiqu'il soit sans cesse renouvelé en ses composantes, on n'y discerne non plus aucun changement. Il semble que les mêmes particules se cognent, se faufilent, réapparaissent, recomposent inlassablement un autre ensemble à la fois différent et en tous points pareil au précédent et où, pas plus que dans une poignée de gravier, il n'est possible de déceler ni structure ni ordre. Du fait de l'absence de toute commune mesure de grandeur entre la taille des petites pastilles et celle des façades dont les sommets se perdent dans le couvercle de brume, on dirait la monotone errance de lilliputiennes multitudes condamnées à tourner sans fin, revenir sur leurs pas et repartir encore à l'intérieur d'un espace clos et dépourvu de ciel. A la tribune, le président parle toujours. Sur chaque pupitre, à côté des feuilles à en-tête de la Chambre des députés, est posé un texte ronéoté sur un papier jaunâtre en haut duquel on lit :

DIALOGO ENTRE PARLAMENTARIOS Y ESCRITORES

TEMARIO

1) La acción legislativa y la función social del escritor. Legislación positiva.

a) INCENTIVOS :

Creación :	(derecho de autor, concursos y premios, etc.)
Vehículo :	(industria de la celulosa y el papel, imprentas, editoriales, monopolios, impuestos, etc.)
Promoción :	(biblioteca, aduanas, distribución, importación y exportación, propaganda, etc.)

Acción :   (crítica, bibliotecas, instituciones
                culturales, etc.)

b) TRABAS :   Un excesivo ordenamiento legal
                puede atentar a la labor creadora
                por la institucionalización del
                quehacer del escritor.

2) La acción literaria y la función social del legislador.

El lenguaje como zona de
contacto entre el escritor y el
legislador al reflejar ambos una
realidad que piensan e imaginan
unitariamente.

Il se rend soudain compte que quelqu'un chuchote à
son oreille et sursaute. Penché vers le sien il découvre
le visage de l'interprète assis dans la stalle voisine et
tourné vers lui. L'interprète montre le papier ronéoté
qu'il tient à la main et dit Voulez-vous que je vous
traduise ? Il dit Non. Non merci ça va. C'est-à-dire
quand c'est écrit. Quand on parle j'ai plus de dif.
L'interprète montre sur son pupitre plusieurs des
feuilles à en-tête déjà noircies d'une écriture régulière.
Il dit Je vous fais un résumé, mais voulez-vous que
je vous traduise au fur et à mesure ? Il dit Non. Ça
va très bien. Non. Ce sera très bien, ne vous. L'interprète dit De toute façon je dois faire un compte
rendu pour mon journal. Il dit encore une fois Ce sera
très bien. L'interprète se penche de nouveau sur ses

feuilles. Beaucoup des délégués portent de courtes moustaches et des lunettes. D'âge moyen, ils ressemblent à des professeurs ou à des médecins. Ils ont des visages de Méditerranéens, mais plutôt qu'au type sicilien ou castillan, fortement mâtiné d'arabe, sec, brun et osseux, répandu dans les régions méridionales, la plupart s'apparentent, par leur peau blanche et les traits un peu mous, à ce mélange de Catalans, de Génois, de Grecs et de Levantins qui peuple le bassin oriental. Attentifs, prenant des notes ou changeant fréquemment de position, ils remplissent à demi le vaste hémicycle où dans les stalles inoccupées semblent toujours siéger, bismarkiens, gourmés et réprobateurs, les fantômes de messieurs à favoris comme ceux dont on voit les portraits à l'intérieur des couvercles des boîtes de cigares dans des cartouches entourés de feuilles d'arbres tropicaux et de médailles d'expositions internationales, congestionnés, autoritaires et satisfaits, avec leurs têtes de négriers puritains, de banquiers, d'aventuriers et de politiciens milliardaires légiférant et codifiant à leur usage personnel les ventes de mines de cuivre, de tribus d'Indiens, de champs pétrolifères, de plantations de cannes à sucre et de parcelles de forêts vierges aussi grandes que des royaumes. Le pays paraît couvert d'arbres très hauts. Les quatre vaisseaux suivent la côte jusqu'à l'endroit où une rivière descend dans la mer par deux embouchures. On jette la sonde et l'on trouve qu'il n'y a de fond que pour porter les deux plus petits bâtiments. Ainsi le général y fait embarquer tout ce qu'il y a de gens de guerre, laissant à l'ancre les deux autres vaisseaux avec une partie des matelots. Comme les soldats commencent avec beaucoup de peine à surmonter la force du courant d'eau ils aperçoivent un nombre considérable de canots pleins d'Indiens armés, outre ceux que l'on voit à terre en diverses troupes, et qui par leur mouvement semblent dénoncer la guerre et vouloir défendre l'entrée de la rivière par des cris et par ces postures que la crainte fait faire à ceux qui souhaiteraient éloigner le péril à force de menaces. La nageoire dorsale du léviathan pivote lentement, dérivant sur le côté de l'avion, présentant l'une après l'autre ses pentes miroitantes, nues, terrifiante dans sa terrifiante solitude, le terrifiant silence des milliards d'années. Sautant hors des embarcations les soldats aux lourdes armures courent dans l'eau qui rejaillit en éclaboussures. De l'une des dernières chaloupes tirée par des hommes jusque sur le sable descend un vieillard au visage majestueux dont la longue barbe déborde sur le plastron de la cuirasse en forme d'étrave étincelant au soleil. Parvenus à distance de trait, les soldats casqués, armés d'arquebuses et d'arbalètes s'arrêtent sur son ordre. A demi dissimulés dans la végétation luxuriante, les Indiens aux crânes rasés surmontés d'une touffe de cheveux les observent, prêts à lancer leurs javelots et leurs flèches. La main du vieillard protégée par un gantelet de fer aux phalanges articulées s'élève dans un geste apaisant. Dans l'autre main il tient la hampe d'une oriflamme dont l'extrémité bifide ondule mollement dans le vent. Au gré de celui-ci apparaissent et disparaissent les mots ou des portions de mots formant la phrase O CRUX AVE SPES UNICA brodée en fils d'or au-dessous d'une croix entourée de rayons. Le chiffre 35 suivi du mot CENTAVOS est gravé en taille-douce dans le ciel teinté sans doute par la lueur du couchant — ou de l'aube — d'une couleur carmin qui baigne toute la scène, colorant de rose la crête des vagues, la soie de l'oriflamme et les corps nus des Indiens. Autour du majestueux vieillard les visages ont des expressions hardies, fermement décidées. L'île enserrée par les deux bras entre lesquels se divise la rivière à son embouchure s'étend sur une longueur de 20 kilomètres de long sur 3 de large. Là se sont rassemblés au cours des derniers siècles quelques-uns des êtres les plus ambitieux, les plus remuants, les plus insatisfaits, fermement décidés à arracher par n'importe quel moyen au sort adverse leur part de chance. Écoutant le tintement des glaçons contre les parois de leurs verres, le buste nonchalamment renversé sur des canapés de cuir capitonnés, un bras passé sur le dossier, les jambes croisées, les messieurs aux longs favoris en nageoires de poissons, aux hauts cols durs, aux étroits pantalons à sous-pieds, aux impitoyables visages de prêcheurs, d'hommes d'affaires et de marchands d'esclaves, devisent courtoisement, regardant la fumée de leurs cigares s'effilocher en écharpes autour des palmiers nains de leur club, des phœnix aux feuilles aiguës, des cache-pots rococo et des lourdes suspensions. Dans les déchirures des nappes bleuâtres et stagnantes apparaissent des cavaliers galopant, sabre au clair, sous un drapeau claquant au vent de la course. Les cavaliers portent des chapeaux de feutre au bord relevé sur un côté, des favoris et des tuniques aux revers croisés. Ils sont penchés sur l'encolure de leurs chevaux aux cous tendus, aux yeux exorbités, la lame de leur sabre pointée en avant ou brandie au bout de leur poing levé. A leur tête charge leur chef dont une barbe d'ébène ronge les joues. Massés sur la gauche derrière un canon encastré dans une barricade de fortune sur laquelle gisent déjà quelques cadavres, un groupe d'hommes aux larges chapeaux de paille et aux moustaches tombantes fait face à la charge des cavaliers, une jambe ployée en avant, penchés sur leurs fusils au-dessus des corps de leurs compagnons morts. Frappé sans doute par une salve, l'un des chevaux se cabre et désarçonne son cavalier. Tournant le dos aux assaillants, l'un des défenseurs jette son arme et prend la fuite. A l'arrière-plan on distingue encore entre les nappes de fumée le campanile d'une mission de jésuites, un grand portail, comme celui d'une ferme, et l'auvent d'un toit de tuiles. Le tableau est entouré d'un cadre de bois sombre aux coins ornés de feuilles d'acanthe sculptées. Le buste du président se détache sur le brouillard bleuâtre, les débris de la barricade et les corps ensanglantés gisant au premier plan. L'immense peinture décore le mur sur toute la longueur de la tribune. Le président arrive sans doute à la fin de son discours car il hausse la voix. Appuyant ses paroles d'un mouvement de son poing droit fermé et agité de haut en bas, il scande l'un après l'autre les groupes de mots : La forma novelesca / lleva un concepto del hombre / es decir un concepto del mundo : / ¡es un discurso antropológico ! Les applaudissements crépitent sur toutes les travées. Tout en applaudissant, l'interprète se penche de nouveau et dit, haussant lui aussi la voix pour être entendu : Vous avez compris ? Il a dit : La forme romanesque implique une conception de l'homme, c'est-à-dire... Applaudissant aussi il dit : Oui. Merci. Très bien. J'ai compris. Très bien. Merci..., sur quoi, sans cesser d'applaudir, il se glisse hors de sa stalle, descend les marches, se tient un moment, applaudissant toujours, au pied de la tribune, puis se fraie rapidement un passage au milieu d'un groupe de personnages (journalistes, secrétaires ?) qui obstrue la sortie. Un vieil homme en habit avec une chaîne d'argent sur la poitrine se penche vers lui, plissant son visage ridé pour le comprendre. A la fin il se redresse et lui montre un long couloir lambrissé de bois sombre en lui faisant signe de la main de le suivre et de tourner à gauche. Les toilettes sont carrelées de blanc. Une étroite bordure turquoise court à la base des murs et à hauteur d'homme, passant derrière les cadres tarabiscotés et ripolinés des glaces qui surmontent chacun des lavabos. Il règne un étrange silence, souterrain, seulement rompu de loin en loin par de violents bruits d'eau, comme ces sources qui jaillissent brusquement, à intervalles fixes, puis cessent, aussi brusquement, le silence refluant aussitôt tandis que l'on recommence à entendre, comme dans les ténèbres de ces grottes humides, la chute régulière d'une goutte, répercutée par les parois minérales. Sur le côté opposé aux lavabos des portes d'acajou ferment une série de cabines. A force de tâtonner, les doigts du docteur ont trouvé un point précis où une légère pression provoque une douleur aiguë. De très loin, semble-t-il, parviennent parfois des grondements assourdis, comme si le sol était secoué d'ondes sismiques de faible amplitude, provenant des profondeurs obscures, des tonnantes entrailles de pierres et de roches fondues, puis cela s'atténue, cesse aussi. Hors des crises violentes, les symptômes les plus significatifs se caractérisent par une sensation de gêne et de pesanteur, comme si l'organe malade augmentait de volume et de poids. Cette sensation est parfois accompagnée de vagues nausées. Il regarde le docteur assis maintenant derrière son bureau aux ornements de bronze et qui trace rapidement quelques mots, à l'encre bleue, sur une feuille à en-tête, en même temps que la voix impersonnelle commente au fur et à mesure : premièrement, deuxièmement, troisièmement, enfin, en cas de crise... Quand il ressort, il va à l'un des lavabos, se savonne les mains tout en regardant dans la glace en face de lui le visage aux traits tirés qui le regarde aussi. Puis il sort de sa poche un petit tube, le débouche et, l'inclinant, fait tomber dans sa paume deux dragées bleu pâle qu'il avale, se penchant au-dessus du lavabo, aspirant l'eau dans sa main en coque sous le robinet. Sous le soleil habituel et dans le vent marin où claquent d'innombrables oriflammes, les gratte-ciel marquent la ville plus que les hommes. Comme les hommes, ils évoluent presque d'une année à l'autre, passant par étapes du rococo aux lignes sobres et dépouillées d'aujourd'hui. L'île est couverte d'une végétation luxuriante où dominent les palmiers. Au sommet de leurs troncs lisses les palmes s'épanouissent en bouquet, comme un jet d'eau, et retombent sous leur poids en s'arrondissant. L'édification des anciennes maisons et celle des nouveaux gratte-ciel offre, de même que la coupe des fameux séquoias de Californie, des étapes permettant de fixer l'histoire d'un continent extraordinaire et dynamique. On peut lire dans le fer, la pierre, et maintenant dans le métal léger et le verre, comme dans le tronc d'un arbre plusieurs fois centenaire. Les colonnes du vaste hall rococo sont surmontées de chapiteaux corinthiens en bronze doré dissimulant les rampes d'éclairage. Au sommet des fûts de marbre blanc parcourus en oblique d'un lacis de veines grisâtres les feuilles d'acanthe jaillissent en bouquet et se recourbent en avant sous leur poids, comme des plumes ou les gerbes d'un jet d'eau. Loin derrière l'avion maintenant, la montagne a pratiquement disparu. C'est à peine si on la distingue, blanc sur blanc, dans l'infini moutonnement des nuages. De tous côtés à nouveau, en avant, en arrière, à droite, à gauche, c'est la même mer cotonneuse et plate, à perte de vue, légèrement grumeleuse, au-dessus de laquelle l'avion semble suspendu sans avancer. Poursuivant sa lente progression, la vieille dame est maintenant parvenue à peu près au centre du hall. Sur l'immensité rouge de la moquette où se détachent ses bas blancs, on dirait une défroque pendant d'un portemanteau qui se déplacerait par à-coups, suspendu par son crochet à un invisible fil, à la façon de ces objets (par exemple les bateaux à l'horizon) apparemment immobiles et que l'œil, lorsqu'il les cherche à nouveau, retrouve avec surprise très loin de l'endroit où, lassé, il les avait abandonnés — comme s'ils profitaient du moment d'inattention pour franchir d'un bond d'énormes distances, puis retomber dans leur immobilité. Témoignant seuls du mouvement, les plis de la légère étoffe rose oscillent faiblement et, parfois, les feux irisés d'un diamant jettent un fulgurant éclat à son cou ou à l'un des doigts de la main jaunâtre qui s'appuie sur la canne. Sortant du combiné en ébonite noire la voix lointaine de l'enfant répète Allô allô, commençant à s'impatienter. D'un geste brusque le docteur remonte sur la poitrine les deux pans froissés de la chemise. Comme l'un d'eux persiste

46

à redescendre il le repousse avec agacement et le tasse comme un chiffon presque sous le menton. Du combiné éloigné maintenant de l'oreille ne provient plus qu'un son fluet aux intonations désappointées, vaguement inquiètes. Le combiné raccroché à son support, le jeton inutilisé est restitué par l'appareil avec le bruit d'une pièce tombant dans la sébille d'un mendiant. Le docteur pose ses deux mains sur le côté du corps, juste au-dessous des côtes, les deux index se touchant, parallèles, les deux mains formant ainsi un plan légèrement incliné. Il appuie doucement et progressivement. A partir de l'extrémité des doigts la douleur envahit le côté droit, comme si on enfonçait un objet à plusieurs pointes divergentes, se déployant en étoile. Après avoir raccroché le combiné, il reste là, debout dans la cabine, adossé à la cloison ripolinée, tandis que sur sa rétine la tache rose de la vieille dame qu'il peut voir à travers la vitre se déplace insensiblement. Bien après que le docteur a retiré ses mains la sensation de pression persiste, ou plutôt d'un corps étranger, énorme, resté fiché comme un coin. Les états inflammatoires aigus du foie, ou hépatites, relèvent de causes infectieuses (virus, spirochètes) ou chimiques (phosphore, alcool, etc.). Certaines inflammations localisées (amibes) peuvent aboutir à l'abcès du foie. Au-dessus de l'immensité toujours pareille de la mer de nuages l'avion semble suspendu sans avancer, l'œil, chaque fois qu'il s'y reporte, ne percevant dans le moutonnement qui s'étend à perte

47

de vue que d'infimes modifications. Seule la croûte de fatigue s'épaississant peu à peu sur le visage avec une sensation de légère brûlure, de légère fièvre, témoigne de l'écoulement des heures. Elle forme comme un invisible masque de boue collé à la peau, bouchant ses pores, et se craquelant, coupante, suivant les lignes des rides. Il se rend compte que quelqu'un lui parle, comme une voix au téléphone, lointaine, arrivant à travers des épaisseurs d'espace. Il sursaute, dit Excusez-moi, et tournant la tête découvre un visage penché vers lui, éclairé d'en dessous par l'éblouissante lumière réfléchie par les nuages, comme un de ces visages d'acteurs, au théâtre. Les yeux sont d'un bleu très clair. Quoique dirigés sur lui, ils sont aussi vides d'expression que deux morceaux de faïence. Sous la peau fine du cou il peut voir le trajet d'une veine, d'un bleu vert transparent. Il peut voir aussi la naissance des seins entre les revers de la veste d'uniforme. Sur un chariot arrêté dans l'allée centrale sont entassés des verres et des petites bouteilles de diverses couleurs. Il dit Non merci. Le regard se détourne, le visage recule en remontant et la silhouette mince et bleue, maintenant redressée, cambrée sur ses hauts talons, pousse devant elle le chariot jusqu'à la rangée de sièges suivante. Le docteur exerce de nouveau diverses pressions, tout autour de l'endroit où il a d'abord appuyé. En relevant légèrement la tête il peut voir ses deux souliers qui forment un angle ouvert sortant des plis en accordéon du pantalon descendu et la touffe de poils de son pubis. Le docteur dit Vous buvez ? La voix est neutre, grise, le regard invisible sous les paupières baissées, fixé sur la partie du corps que tâtent les mains. Il dit Non. Le regard vif du docteur le dévisage à travers les lunettes cerclées d'or. Il répète Non vraiment. Un verre de temps en temps. Mais je ne pense pas que ça puisse s'appeler b... Les yeux du docteur sont de nouveau devenus invisibles. De la même voix neutre, absente, il dit Qu'est-ce que vous appelez de temps en temps ? Les mains continuent à exercer leurs légères pressions. De la pochette fixée au dossier du siège devant lui dépasse un dépliant. Sur la couverture est représentée une jeune femme souriante dont l'uniforme bleu foncé est aux trois quarts caché par les plis d'une ample cape rouge inspirée des ponchos des Indiens. De l'une de ses mains levée à la hauteur de son épaule elle présente un modèle réduit de Boeing en métal chromé. Au-dessus d'elle on peut lire en lettres rouges INTERNATIO- NAL ROUTE MAP et, plus bas, en lettres noires : NORTH-CENTRAL-SOUTH AMERICA. THE CARIBBEAN AND EUROPE. De fines lignes car- min dessinent des triangles, des parallélogrammes, convergent en certains points, s'écartent de nouveau, s'entrecroisent au-dessus d'océans bleu pâle, d'éten- dues vertes ou jaunâtres où serpentent des rivières et de longues rides comme du carton froissé ondulant, se ramifiant, crevassées, faisant penser à la croûte d'un gâteau ou d'un pain mal cuit. Dans le vaste hall une voix féminine et criarde retentit par intermittence, entrecoupée de grésillements, répercutée par les parois de verre et de ciment. Le hall est empli d'une foule bariolée d'où s'élève un bruit de volière, assourdissant. Les hommes portent des chemisettes vert d'eau, roses, blanches ou bleu ciel, les femmes des robes aux couleurs voyantes, rouge, orange, vert jade. Les visages sont noirs, jaunes, bruns, ou quelquefois blafards comme ceux de ces Espagnols claquemurés dans l'ombre de leurs maisons et ne sortant qu'à la nuit, mais la majeure partie de la foule est composée de métis, d'Indiens, de nègres, de Chinois, ou de Polynésiens. Rappelant ces voix d'enfants de chœur qui n'ont pas encore mué hurlant à tue-tête les versets d'une litanie, la voix criarde, obstinée et discordante égrène des noms de villes aux consonances bigarrées, comme des noms d'oiseaux, de fleurs, de monstres, d'animaux exotiques, de saints ou de perroquets : Caracas, Cúcuta, Barranquilla, Bogotá, Quito, Guayaquil, San Juan, Iquitos, Manaus, Leticia. Sur le mur du fond, derrière la tribune aux cariatides d'acajou sculpté galopent toujours dans un tonnerre silencieux les chevaux et leurs cavaliers déchirant les écharpes de fumée, immobilisés dans des attitudes de vitesse et de violence. De chaque côté de l'immense peinture quatre panneaux de même hauteur mais étroits se font pendant, œuvres d'un autre artiste, représentant dans une facture très différente des groupes de figures allégoriques. Les mots VIRTUS, LEX, JUS et LABOR sont inscrits en lettres dorées dans les ciels pâles de chacun d'eux où l'on peut voir sur des fonds de pâles prairies ou de feuillages grisâtres des femmes vêtues de longues robes blanches laissant parfois un sein à découvert et des hommes demi-nus aux visages résolus ou pensifs. Tenant dans leurs mains des couronnes, des brins de laurier, des balances, ou levant vers le ciel un index dressé, les jeunes femmes semblent inciter leurs compagnons armés d'épées ou de marteaux à des actions difficiles mais exaltantes. Au moment où il revient dans l'hémicycle après s'être de nouveau frayé un chemin à travers le groupe qui stationne toujours auprès de la porte, un orateur a succédé au président. C'est un homme d'une soixantaine d'années, chauve, au visage replet et rose terminé par un nez pointu. Assis dans sa stalle à l'un des premiers rangs et tourné vers le microphone disposé sur son pupitre à côté de la petite lampe, il parle d'une voix douce, courtois et affable, comme s'il s'entretenait avec un de ses collègues ou l'un des membres de son club aux plantes exotiques et aux canapés de cuir brun et capitonné. Le président, maintenant appuyé des deux coudes sur la tribune, les mains croisées, l'écoute tout en surveillant d'un œil inquiet certains points de l'hémicycle. Les délégués sont de nouveau figés dans des poses attentives, prenant des notes, changeant quelquefois de position sur leurs sièges. Lorsqu'il reprend place dans sa stalle l'interprète se penche vers lui et prononce un nom aux consonances slaves tout en désignant l'orateur d'un mouvement de la tête, puis ajoute Sénateur, communiste. Tout en tâtant dans sa poche pour s'assurer qu'il n'a pas oublié le petit tube de pilules, il écoute, amplifiés par le haut-parleur, les mots espagnols que, sous la moustache blanche, la bouche souriante déverse d'une voix aimable et posée dans le microphone tendu au bout de sa tige incurvée. Au bout d'un moment il demande Sénateur d'où ? Les yeux de l'interprète vont et viennent de l'orateur au président puis à l'endroit, sur les travées supérieures, où le président porte fréquemment ses regards. Détournant rapidement la tête il dit D'ici. Puis très vite, à mi-voix Ça va chauffer. Puis Vous voulez que je vous traduise ? Puis sans attendre la réponse il chuchote mécaniquement en français après l'orateur chaque membre de phrase tout en continuant à jeter de fréquents coups d'œil vers les travées supérieures. ...creo que el novelista contemporáneo (je crois que le romancier d'aujourd'hui, dit l'interprète) es consciente a la vez (est conscient à la fois) de estas dos cosas (de ces deux choses) : en primer lugar (en premier lieu) la necesidad de expresar (la nécessité d'exprimer)... Dans les bois sacrés, sur les fonds de cyprès attiques, les grises représentations de la Vertu, de la Loi, du Droit et du Travail promènent leurs traînes de lin sur les prairies décolorées. Avec leurs coiffures en bandeaux, leurs ceintures dorées nouées sous leurs seins, leurs bras grêles, leurs rameaux d'olivier, elles se tiennent, virginales et incorruptibles, auprès des chastes adolescents figés dans un perpétuel ennui entre les boiseries d'acajou. ...de representar en las ficciones (de représenter dans des fictions) su propio ser (son être propre), su propia realidad (sa propre réalité), sus propios tormentos (ses propres tourments), sus propios demonios y (ses propres démons et), al mismo tiempo (en même temps)... Une lumière intemporelle tombe de la coupole de verre qui s'élève au-dessus de la façade jaunâtre décorée de frontons et de colonnes sur lesquelles remuent faiblement les ombres ébouriffées de hauts palmiers dont les troncs minces s'élancent au-dessus des pelouses victoriennes arrosées, tondues, roulées et repiquées à longueur de journée par l'armée des jardiniers municipaux. ...necesita fundamentalmente (nécessite fondamentalement) un lenguaje y una técnica (un langage et une technique), consciente también (conscient aussi) de la jerarquía que existe (de la hiérarchie qui existe) entre los elementos fundamentales de la creación (entre les éléments fondamentaux de la création)... Le dôme, les frontons, les chapiteaux et les tapis de blue-grass semblent avoir été commandés sur catalogue, transportés à travers les océans, les montagnes et les déserts, la façade assemblée ensuite pierre à pierre, la pelouse plantée et entretenue brin par brin contre les vents torrides et les nuages de poussière qui tourbillonnent en soulevant des papiers sales autour de la statue équestre du général, lui aussi d'importation, au visage encadré d'imposants favoris engoncé dans le col de bronze de sa tunique aux broderies de bronze. Nu-tête sous le terrible soleil tropical, soudé à son cheval de bronze, il semble fixer de ses yeux aux pupilles évidées quelque rêve de gloire et de puissance, là-bas, au-delà de la façade berninienne et du désordre des modernes buildings, dans les pampas, les sables, les étendues sans fin où à travers les déchirures de la fumée il conduisait les charges de ses cavaliers à têtes de bandits. Le visage du président qui lance vers le haut de l'hémicycle des regards de plus en plus nerveux s'inscrit entre les sabots levés de l'une des montures au galop. Yo creo (je crois) que sôlo la generación contemporánea de los novelistas latinoamericanos (que seule la génération contemporaine des romanciers latino-américains) ha aceptado (a accepté)... Il se rend compte que quelqu'un frappe contre la vitre de la cabine téléphonique. Il sursaute, dit Excusez-moi, fait coulisser les deux volets de la porte, la franchit en disant encore Excusez-moi, se tient un moment près de la porte refermée, regardant le nouveau venu qui, le combiné déjà à son oreille, fait tourner du doigt le disque de l'appareil. Sous l'énorme fleur de réséda l'étoffe rose aux plis vides se trouve maintenant aux deux tiers du trajet entre la banquette où s'aligne toujours la brochette des vieilles dames aux visages peints, aux toilettes évanescentes, et le portier en uniforme marron. Il s'éloigne enfin de la cabine téléphonique, hésite, fait quelques pas et s'assied finalement sur une autre banquette du hall entre la cabine et la porte à tambour. Lorsqu'il regarde de nouveau par le hublot ses yeux clignent sous l'agression de la lumière éblouissante qui monte de l'étendue immobile des nuages, le masque de boue tiède cisaillant douloureusement la peau aux coins des paupières. La lune blanche et tavelée occupe toujours la même position, un peu en avant et à droite par rapport à l'axe de l'avion. Dans le ciel clair les étoiles sont invisibles. La constellation équatoriale du Serpent se divise en deux zones séparées par une partie de la constellation d'Ophiucus : la Tête du Serpent (Serpentis Caput) et la Queue du Serpent (Serpentis Cauda). Les points noirs de différente grosseur figurant les étoiles sont reliés par de courtes droites, également noires, dessinant sur le fond bleu des lignes brisées comme des morceaux de chaînes d'arpenteur, formant des triangles, des trapèzes, des polygones pourvus d'antennes ou de queues. Serval : grand chat sauvage au pelage fauve, tacheté ou rayé, recherché pour sa fourrure. Gravés au burin, des animaux, des objets, des personnages isolés ou par couples, englobent à l'intérieur de leurs contours les figures géométriques formées par les constellations et les étoiles aux noms de dieux ou d'animaux fabuleux : Pégase, Hercule, les Poissons, le Scorpion, le Capricorne, la Vierge, l'Hydre, le Chien, Orion, le Sagittaire, le Lion, les Pléiades, les Gémeaux. Les bêtes fantastiques ou les corps musculeux semblent projetés, en état d'apesanteur et gigantesques, sur les parois concaves d'une coupole décorée par quelque peintre, lui-même titanesque, enchaîné par un potentat fou à son échafaudage sous le plafond de quelque Sixtine ou de quelque Panthéon. Les années, l'oxydation ou les fumées des cierges ont grisé les couleurs, les corps dont les flancs se soulèvent et s'abaissent au rythme de leurs respirations tandis qu'ils sont entraînés par un lent mouvement rotatif, successivement debout, couchés, la tête en bas. Dans la lumière laiteuse qui entre par la fenêtre ouverte sur la nuit les deux corps emmêlés sont d'une teinte grisâtre, comme recouverts d'une uniforme couche de peinture, un peu plus claire sur celui de la femme. Des taches noires indiquent les cheveux, la bouche, les mamelons des seins, les parties pileuses des corps : la poitrine et le ventre de l'homme, les zones pubiennes. La disposition réciproque des corps se modifie par d'imperceptibles glissements, d'imperceptibles ondulations. Ils se déplacent l'un sur l'autre dans une reptation entrecoupée de longues pauses pendant lesquelles une main, un bras, répètent seuls un lent mouvement de va-et-vient, la poitrine cerclée de l'homme, les seins clairs de la femme se soulevant et s'abaissant, leurs souffles se précipitant, s'affolant, emplissant le silence que troue parfois un mot entrecoupé, un gémissement. Leurs formes immenses et accouplées emplissent le champ de vision tout entier. Elles grandissent encore, obstruant la vue tantôt par un membre ployé tantôt par les délicats replis de la vulve ou par la broussaille ténébreuse d'une aisselle. Des senteurs mêlées de terre humide et de coquillages montent d'entre les cuisses ouvertes de la géante. Les corps tête-bêche tournoient lentement dans la nuit, précipités dans une chute sans fin et cramponnés l'un à l'autre. La constellation d'Orion est une des plus belles de la zone équatoriale. Elle présente à l'œil nu un groupe de sept étoiles dont quatre, Bételgeuse, de teinte rougeâtre, Rigel, de couleur blanche, Bellatrix et Saïph, forment un quadrilatère. Les trois autres, placées au milieu en ligne oblique, sont connues sous le nom de Ceinture ou Baudrier d'Orion. Au-dessous du Baudrier on distingue un filet lumineux formé de trois étoiles très rapprochées : c'est l'Épée d'Orion dans laquelle s'étale la Nébuleuse d'Orion, prototype des nébuleuses galactiques. Les différentes étoiles n'indiquent qu'approximativement la position des corps et des membres. La Chevelure de Bérénice est dessinée par une vingtaine d'étoiles, de magnitude 4 à 6. Perdue dans l'obscure immensité, la pointe de la langue cherche au fond de la toison la saillie du clitoris. A l'extrémité des bras enserrant les hanches, les mains velues sont plaquées sur les fesses qu'elles écartent. Dans deux groupes d'étoiles rapprochées dessinant deux triangles de grandeur à peu près égale où l'on peut lire schématiquement un visage, certains peuples de l'Antiquité croyaient pouvoir situer les positions successives occupées par la tête de la femme lorsque dans un spasme elle la rejette en arrière, se cambrant, abandonnant le gland qu'elle pressait entre ses lèvres, sa main toutefois toujours crispée sur la verge tendue. La tête d'Orion, le géant aveugle, se profile parmi les nuages boursouflés de l'aube, encore grisés par la nuit. Son corps bosselé de muscles est presque aussi grand que les arbres aux rameaux nombreux qui encadrent le paysage. Ses épaules, une grande partie de son buste et de ses bras s'élèvent au-dessus des collines. Il est représenté de trois quarts et de dos, sur la droite du tableau et dans l'attitude de la marche, la jambe gauche tendue en arrière, la jambe droite à demi ployée, l'avant-bras gauche horizontal projetant en avant de lui, comme un aveugle qui tâtonne, l'énorme main ouverte cachant presque tout entière une légère éminence dans le lointain. Sur son visage en profil perdu, une tache de lumière posée par le jour qui se lève s'étend de la tempe à la pommette, le nez restant dans l'ombre ainsi que la cavité orbitale où l'on distingue la paupière close. Quoique privé de vue, il avance à grands pas, guidé par le petit personnage qui se tient debout sur ses épaules, s'appuyant d'une main sur la chevelure du géant, la tête penchée vers lui pour lui parler et l'autre bras pointé sur le levant comme pour indiquer la direction à suivre. Les plis de sa courte tunique claire claquent dans le vent violent qui sans doute souffle là-haut, autour de la tête du géant, comme au sommet des montagnes. C'est l'aube : à mesure que l'avion s'élève au-dessus des palmiers, des avenues où pâlissent les chapelets de réverbères, des bungalows et des petites baraques aux toits de tôle, la ligne de l'horizon remonte et l'océan dont l'écume encore phosphorescente suit les méandres de la côte se déploie comme une toile, à perte de vue, d'un gris encore profond, couvert de rides immobiles et parallèles dont les sommets s'éclairent par degrés, se teintent peu à peu de rose en même temps que les cimes des nuages tourmentés, entassés. Certains montent en gigantesques panaches, comme des tours, gonflés d'énormes boursouflures, élevant très haut dans le ciel leurs cimes qui s'arrondissent en dômes, en grappes de coupoles. D'autres stagnent lourdement, formant des escaliers, des plateaux, des surplombs, des précipices. Du côté de l'ouest on peut voir dans les hublots le ciel indécis où scintillent les dernières étoiles. Par une brèche dans le chaos des nuages, à l'orient, jaillit tout à coup le premier rayon, comme une lame de bronze, l'ensemble restant encore un moment dans une tonalité grise frottée de rose, puis, à partir du trou par où se précipitent maintenant, multipliés, les rayons divergents, se dorant violemment, comme un retable. Maintenant l'homme et la femme gisent immobiles sur le lit. La lumière qui croît commence à colorer leurs corps de teintes chaudes sur la grisaille des draps froissés. Le battant de la porte de la cabine téléphonique claque en se refermant et son occupant s'éloigne. Le tuyau métallique et annelé qui relie l'appareil au combiné se balance encore faiblement et à la fin s'immobilise. Puis, sur l'une des travées supérieures, quelqu'un se met soudain à crier. Mais, comme dans un film du temps du muet, on peut comprendre ce qui est en train de se produire avant même d'entendre la voix, rien qu'à la façon dont le visage du président s'altère, se creuse, les pommettes se colorant subitement de rose, avant même qu'il ait ouvert la bouche pour crier lui-même, criant ¡ Hágame el favor !, la voix de femme fortement timbrée, bien posée et grave comme celle d'un baryton, criant en même temps ¡ Por favor, señor Presidente, por favor !, le président répétant ¡ Hágame el favor, señora, no interrumpa al orador !, la femme continuant à crier, les deux voix se confondant, s'interférant, l'orateur à présent silencieux tourné de biais dans sa stalle, un sourire contraint sur les lèvres, regardant comme les autres délégués, au-dessus d'eux, dans la travée supérieure, la femme dressée et gesticulante, avec son nez camard, sa tignasse crépue, sa bouche aux lèvres épaisses qui crie maintenant plus fort encore pour dominer la voix du président, ses avant-bras levés agités par saccades, les mains ouvertes encadrant sa tête comme pour prendre le ciel à témoin ou signifier que sa tête éclate, criant Yo quisiera solamente preguntar si hemos venido aquí para escuchar discursos académicos o para..., l'interprète tambourinant avec excitation sur le rebord de son pupitre disant Elle demande si nous sommes venus ici pour écouter des discours académiques, sa voix se perdant elle-même dans le brouhaha qui monte des travées et le tapage que mènent les spectateurs massés dans les galeries, penchés au-dessus des balcons et applaudissant la femme qui continue à crier en désignant du doigt à côté d'elle un jeune délégué à la barbe blonde, au visage très pâle, qui se tient immobile et silencieux, l'orateur interrompu toujours muet, un peu rose, le même sourire crispé sur les lèvres et tapotant lui aussi nerveusement sur son pupitre jusqu'à ce que le président se tourne vers lui en s'excusant, lui pose dans le tapage une question à laquelle il acquiesce de la tête, le président s'adressant de nouveau à la femme, élevant dans sa direction sa main aux doigts écartés, disant ¡ Cinco minutos !, la femme répétant Sí, cinco minutos. ¡ Gracias, señor Presidente !, le président redisant énergiquement ¡ Cinco minutos solamente !, la femme levant la main dans un geste de serment, répétant ¡ Sí, nada más ! ¡ Gracias, señor Presidente, gracias !, se tournant alors vers le jeune délégué qui, dans le silence soudain, se lève, commence à parler d'une voix faible, presque inaudible, la femme lui désignant alors le microphone sur son pupitre, le forçant à se rasseoir et dirigeant maternellement vers lui la tige flexible, la voix très douce, s'élevant alors dans l'hémicycle, lente, articulant les mots avec soin, les séparant par des silences, disant : En estos momentos (Dans ce moment, chuchote l'interprète), en que tantos de nuestros camaradas (où tant de nos compagnons), tantos de los nuestros (tant des nôtres), están en las cárceles (sont dans des prisons), o son torturados (ou torturés), o condenados al exilio (ou condamnés à l'exil), me parece (il me semble) que es verdaderamente (qu'il est véritablement) de un interés totalmente secundario (d'un intérêt tout à fait secondaire) el saber si la creación literaria (de savoir si la création littéraire) debe preocuparse (doit se préoccuper) de los tormentos (des tourments), de los demonios del escritor (des démons de l'écrivain), o de no sé cuál de esas realidades que le son personales (ou de je ne sais quelles de ces réalités qui lui sont particulières), de las cuales habla (dont parle) nuestro muy sabio y muy distinguido senador (notre très savant et très distingué sénateur). Insensible aux applaudissements et aux bravos qui déferlent des galeries, il reste assis, les yeux baissés, attendant tandis que d'un geste apaisant de la main le sénateur rassure le président au visage maintenant empourpré, la bouche ouverte, et dont l'œil inquiet va et vient rapidement des tribunes aux délégués et au pâle jeune homme immobile. Quand le silence est rétabli, et sans que le jeune homme ait esquissé un mouvement, la voix frêle s'élève de nouveau : ¡ Me parece (Il me semble) que la única jerarquía posible (que la seule hiérarchie valable) es la jerarquía (c'est la hiérarchie) de los problemas y de las necesidades (des problèmes et des besoins) de los pueblos de nuestros países (des peuples de nos pays) y ninguna otra ! (et aucune autre !) ¡ Me parece (il me semble) que si estamos reunidos aquí (que si nous sommes réunis ici), es para discutir de esos problemas (c'est pour discuter de ces problèmes) y no de los problemas académicos (et non des problèmes académiques) de una creación literaria (d'une création littéraire) con los cuales nuestros pueblos oprimidos (dont nos peuples opprimés) no tienen nada que hacer ! (n'ont rien à faire !) De nouveau les applaudissements enthousiastes déferlent des galeries. Immobile, il attend. A la fin cependant il lève une main et le silence se fait : En fin (Enfin), quisiera pedirles a los delegados (je voudrais demander aux délégués) de los diferentes países de nuestro continente (des divers pays de notre continent) reunidos aquí (réunis ici), si esta curiosa y colonialista denominación (si cette curieuse et colonialiste appellation) de escritores latinoamericanos (d'écrivains latino-américains) cuenta con su aprobación (recueille leur approbation) y, en ese caso (et dans ce cas), cuál es el lugar (quelle est la place) que le reservan (qu'ils réservent) a los indios (aux Indiens) que fueron y son los primeros y los únicos ocupantes legítimos de este continente (qui furent et sont les premiers et uniques occupants légitimes de ce continent). He terminado (J'ai terminé). Gracias señor Senador, gracias señor Presidente. Dans les galeries des cris et des acclamations se mêlent maintenant aux applaudissements. Le visage toujours très rouge, le président contemple les galeries, puis l'hémicycle où, plus discrètement, de nombreux délégués applaudissent. Un peu trop rose, toujours souriant, toujours assis de biais dans sa stalle et tourné vers son interrupteur, le sénateur applaudit aussi tout en hochant la tête de bas en haut en signe d'approbation. Le président se penche vers son voisin assis à la tribune, s'entretient un moment avec lui, puis se redresse et lève la main pour réclamer le silence. Les applaudissements continuent. Les cadres dorés des tableaux se reflètent dans le plancher ciré, miroitant, de la salle du musée. Ils entourent des rectangles sombres où, la tête en bas, les fantômes de héros, d'évêques et de femmes sortant du bain se distinguent vaguement, mêlés aux silhouettes verticales des visiteurs debout sur leurs doubles renversés. Les héros, les saints, les déesses, les doges aux camails bordés de fourrure et les baigneuses sont immobilisés dans des postures violentes, extatiques, hautaines ou voluptueuses. Figés dans leur course, leur méditation ou leurs gestes inachevés, les corps musculeux, les ermites squelettiques, les calmes Hollandaises ou les formes éclatantes des modèles montmartrois se matérialisent hors du temps dans un affrontement entre la lumière et les ombres. Condamnés à des combats sans victoire, des prières sans réponse, des méditations sans issue et des ablutions toujours recommencées, ils répondent silencieusement à l'interrogation des visiteurs par des signes énigmatiques. Arrivée à quelques mètres du portier qui continue à maintenir le volet du tambour, la vieille dame interrompt sa progression. Accrochant la poignée recourbée de sa canne au creux de son coude droit, plantée sur ses maigres tibias gainés de blanc, elle fouille maladroitement dans le petit sac brodé de perles à l'anse constituée par une chaînette d'or. La casquette à plat sur sa poitrine à hauteur du cœur dans un geste de déférence, le portier observe le petit sac dans l'ouverture duquel on aperçoit quelques billets froissés. Au fur et à mesure que le soleil s'élève, les étoiles des constellations pâlissent, s'éteignent l'une après l'autre et le corps gigantesque d'Orion qui marchait à sa rencontre s'efface, semble se dissoudre dans la lumière, et disparaît. La jambe gauche levée avec ensemble plus haut que les têtes, les pieds cambrés dans leurs escarpins noirs à hauts talons, la brochette sautillante des danseuses est immobilisée en rupture d'équilibre. Sur le devant de la scène, parallèle au bord inférieur du tableau, une rangée de quinquets, éclairés au gaz et constitués de boules dépolies surmontées d'une couronne de pointes évasée, projette d'en bas une lumière blafarde sur les dessous de dentelle, les visages, les jupes soulevées dont les bords serpentent en méandres autour des jambes tendues. Au-dessous des quinquets, dans la fosse de l'orchestre, c'est-à-dire dans

65

la bande entre les deux parallèles que dessinent le bord de la scène et la partie inférieure du cadre, apparaissent de profil les têtes des musiciens soufflant dans leurs instruments. La lumière qui monte des quinquets se fragmente en une myriade de confetti jaunes, vert Nil, mauves ou noirs qui tantôt s'éparpillent, tantôt se concentrent en taches sombres à la façon de la limaille sur un champ magnétique. La crosse recourbée d'une contrebasse émerge au-dessus de la fosse de l'orchestre et se profile en ombre chinoise devant les jambes et les froufrous lumineux des danseuses. Pour mieux voir à l'intérieur de son sac dans lequel elle continue à fouiller, la vieille dame se penche en avant. Dans cette position, la poignée d'argent de sa canne glisse le long de son avant-bras et la canne tombe à terre. Le reflet ensoleillé de la jeune femme et de l'enfant de nouveau arrêtés sur le trottoir se superpose dans la glace de la vitrine à la brochette des jambes levées, proposant un choix de bas dans une gamme variée de nuances chair, mastic ou brun. Sur la moquette rouge la canne dessine une ligne droite, sombre, terminée par un crochet scintillant. Se détachant du tambour le portier s'avance précipitamment, le bras tendu vers la canne, déjà à demi courbé. D'un geste autoritaire la main ridée qui fouillait dans le sac de perles l'arrête à mi-chemin. Conservant difficilement son équilibre sur ses hauts talons et pliant lentement ses jambes arquées, la vieille dame se courbe progressivement, tâtonne de la main sur le tapis, atteint l'extrémité inférieure de la canne qu'elle attire à elle jusqu'à ce qu'elle puisse en saisir de nouveau la poignée. A ce moment le boa de plumes qu'elle porte autour du cou et qui pend plus bas d'un côté que de l'autre se trouve dérangé. Frottant sur la moquette pelucheuse, l'extrémité la plus longue qui traîne maintenant par terre est ainsi freinée tandis que la vieille dame se redresse lentement et le boa glisse à son tour de ses épaules, de sorte que lorsqu'elle se trouve de nouveau debout et appuyée sur sa canne le boa rose dessine à ses pieds sur la moquette rouge une courbe en S. La jeune femme marche rapidement jusqu'au lapin gisant sur le trottoir, le ramasse, le fourre sous son bras, reprend la main de l'enfant et s'éloigne d'un pas vif. La ficelle au bout de laquelle était tiré le lapin pend sur le côté, formant une boucle qui frotte contre la cuisse du bermuda, se balançant à chaque enjambée. Les rayons horizontaux du soleil se dégageant des nuages pénètrent à l'intérieur de l'avion, frappant douloureusement les yeux aux paupières brûlantes. Sur le lit défait les deux corps nus étendus ont maintenant retrouvé les couleurs de la chair dans la lumière : ocrée, rosée ou laiteuse selon les parties habituellement plus ou moins exposées au soleil et à l'air. Comme ces statues de saints en bois peint que l'on promène dans les processions, vacillantes sur les épaules des porteurs, et où une petite fenêtre vitrée, ménagée sur la poitrine, un membre, permet de voir à l'intérieur quelque fragment d'os, la peau, sur le devant des deux torses, a été découpée et retirée à partir des seins — ou des pectoraux — jusqu'un peu au-dessus du pubis. Sur l'ouverture en forme de guitare, légèrement étranglée en son milieu à hauteur de la taille, a été posé un couvercle de plexiglas moulé, reproduisant les reliefs des corps, le sillon entre les abdominaux chez l'homme, le renflement bombé du ventre de la femme au-dessous du pli du nombril. A travers la paroi transparente on peut voir les organes internes, pourpres, blafards ou légèrement teintés de bleu, rangés en bon ordre dans la cavité, imbriqués les uns dans les autres et parcourus de veinules qui se divisent, se ramifient à l'infini comme des racines, des radicelles, en fines brindilles sinueuses, rouges ou bleues. L'enveloppe extérieure des poumons est divisée en une multitude de polygones irréguliers accolés, comme un conglomérat de cailloux ou de gravier, leurs joints dessinant une sorte de grillage. De chacun des deux cœurs sortent de puissants tuyaux qui se divisent en branches, se recourbent, se chevauchant et s'entrecroisant. Les poumons sont animés de mouvements réguliers de contraction et de dilatation. Au même rythme que les cœurs, les grosses artères tressaillent à chaque poussée des flots de sang. Les entrailles sont recouvertes d'une membrane diaphane et nacrée. Repliées sur elles-mêmes en méandres compliqués, comme une soie bouillonnée, elles bougent aussi, mais d'une façon lente, par d'imperceptibles déformations. Au-delà des limites des couvercles de plexiglas, les peaux plus ou moins hâlées recouvrent les chairs, les muscles relâchés par le sommeil. Entre les cuisses blanches entrouvertes, le pubis bombé, à peine ombré par les poils soyeux, s'ouvre en une ligne rose pâle. Parfois l'un des membres emmêlés remue, s'étire, reprend ensuite sa place ou cherche une autre position, les corps se disjoignent, l'un d'eux roule sur le côté, puis ils se rapprochent de nouveau et les deux souffles reprennent leur alternance régulière. La lumière est maintenant étale. Sous l'avion la mer est d'un bleu soutenu. Autour de petites îles qui dérivent lentement, les récifs de coraux dessinent des festons où l'eau est d'un vert laiteux. Comme animée d'une vie autonome la main velue posée un peu au-dessous des seins se détache de la poitrine, glisse lentement sur la paroi du plexiglas au-dessus des organes aux couleurs violentes ou tendres, descend lentement et, tâtonnant en aveugle, vient à la fin se fixer sur le pubis, l'enfermant, le majeur légèrement engagé dans la fente. La respiration de la dormeuse s'accélère. A travers le couvercle transparent, on peut voir la masse pourpre du cœur se dilater et se resserrer à intervalles plus rapides. La veine gonflée, au tracé sinueux et d'une couleur bleu gris, qui traverse la tempe de la vieille dame, bat rapidement cependant que, redressée, elle contemple à ses pieds le boa rose tombé sur le tapis. Le portier se tient toujours immobile à quelques pas, dans l'attitude respectueuse où la vieille dame l'a figé un moment plus tôt. Par une succession de lents mouvements la vieille dame fait passer la poignée d'argent de sa canne dans sa main gauche qui tient toujours le sac, puis, une seconde fois, entreprend de se baisser par saccades jusqu'à ce que sa main arrivée au niveau du sol se saisisse du boa. Cela fait, elle se redresse comme un peu plus tôt, à la façon de ces automates aux mouvements décomposés, entrecoupés de pauses pendant lesquelles il semble que l'on peut entendre le grésillement du mécanisme avant qu'il enclenche un autre rouage. Précautionneuse, obstinée et invincible, elle se retrouve enfin debout, la veine qui se tord à sa tempe battant maintenant avec violence, son visage jaune et ridé impassible, tandis qu'avec les mêmes gestes lents et calculés elle arrange le boa autour de son cou, tire sur ses gants, fait passer la poignée de sa canne dans sa main droite, et ouvre de nouveau son sac. Orion se dirige vers la colline que l'on aperçoit à gauche dans le fond du tableau et que commencent à atteindre les premiers rayons du soleil. Autour de sa tête les formes grumeleuses des nuages roulent sur elles-mêmes en écrans boursouflés, sombres ou clairs, comme des fumées d'usines entraînées par le vent, dans le sens de la marche du géant, aspirées comme lui vers le trou d'où commence à sourdre la lumière. En fait, il semble s'agir de brumes matinales qui s'élèvent de la terre, encore accrochées à droite dans les troncs et les ramures des arbres en écharpes qui s'étirent, se condensent et s'arrondissent dans le firmament en grappes et en dômes. Dans la brume pâle où se dilue l'extrémité de la rue encaissée entre ses hautes parois on distingue deux cheminées d'usine, pâles sur le fond pâle, et dont les fûts s'ornent de bandes alternativement rouges et blanches. Les bandes rouges semblent suspendues, peintes sur le ciel décoloré. Des volutes de fumée blanchâtres s'échappent de leurs sommets, d'abord couchées par le vent marin, puis s'élevant peu à peu en roulant sur elles-mêmes. Les deux immenses négresses repassent en sens inverse. Leurs têtes et une partie de leurs bustes dépassent les sommets des gratte-ciel. Au carrefour il peut toujours voir papilloter la foule ou plutôt l'espèce de bande horizontale qui forme comme une plinthe pointilliste et inamovible au pied des gratte-ciel. Aussi dense, pareille à ce qu'elle était tout à l'heure, à ce qu'elle sera pendant les heures suivantes et jusqu'à la nuit (alors, devant les rectangles lumineux des vitrines, on ne discernera plus qu'un grouillement confus et noir), elle fait penser, dans l'éclatante lumière du jour, à ces accumulations de confetti repoussés par les balayeurs dans les caniveaux, les lendemains de fêtes, accumulés contre les rebords de pierre des trottoirs, et dont le vent brasse inlassablement les petites pastilles vert pâle, roses, soufre ou bleues. Toujours assis sur la bouche d'incendie, il se trouve au sein — ou plutôt sur le côté, comme ces détritus échoués sur la rive — d'un double courant se dirigeant vers et venant du grouillement statique et impersonnel qui se presse là-bas, comme si celui-ci constituait un réservoir, soit que, s'éloignant, les silhouettes des passants décroissent peu à peu, s'amenuisent, aillent se fondre dans le magma tacheté le long des hautes façades, soit qu'au contraire, s'en détachant et grandissant au fur et à mesure de leur avance, les contours des petites particules anonymes se précisent peu à peu, chacune d'entre elles s'individualisant en même temps qu'elle se rapproche, devenant femme, homme ou enfant. L'un après l'autre il les regarde venir vers lui et se succéder, se mouvant dans l'aveuglante lumière, entourés de cette nauséeuse aura d'irréalité et d'aubes de carnavals qu'accusent encore leurs masques inexpressifs, l'abondance des visages sombres, des accoutrements burlesques et des vêtements fatigués qui contrastent avec les longues voitures étincelantes, les étincelantes façades de verre et de métal dont les portes vomissent des groupes bariolés, faisant penser à ces foules rescapées de quelque catastrophe (inondation, bombardement ou tremblement de terre) arborant avec ce mélange d'indifférence, d'agressivité et d'ostentation que confère un absolu désespoir les défroques hétéroclites et dépareillées retirées de la réserve d'un costumier de théâtre intacte sous les décombres. Dans l'air chaud et poisseux où ils semblent flotter comme entre deux eaux, les visages blafards ou d'ébène, luisants de sueur, piqués de taches de son, surmontés de tignasses crépues ou de cheveux roux, s'élèvent lentement, comme des bulles, passent au-dessus de lui et disparaissent, allant sans doute crever, comme ces ballons d'enfants, très haut, quelque part au-dessus des plus hautes façades, des plus hauts gratte-ciel, là où peut-être le suffocant mélange de gaz saturé de vapeur d'eau s'arrête enfin, dans le ciel, à l'air libre. Le crépitement serré des applaudissements semble ne devoir jamais finir, étale maintenant, comme le bruit d'un moteur installé à son régime de croisière, un peu moins fort que dans les premiers moments qui ont suivi l'intervention du jeune orateur, stabilisés à un niveau moyen, comme un fond sonore, monotone, les délégués, sauf quatre ou cinq d'entre eux, ayant toutefois cessé de battre des mains, se tordant parfois sur leurs sièges pour regarder, comme le président, les galeries au-dessus d'eux, ou se penchant l'un vers l'autre pour se parler à l'oreille, le président continuant à lever par moments la main dans un geste machinal, puis renonçant, regardant avec une mimique d'impuissance le sénateur qui, penché à présent sur son pupitre, écrit rapidement, croise en relevant la tête le regard du président, élève légèrement la main gauche pour lui faire signe de patienter, puis se remet à écrire, le bruit des applaudissements infatigables semblable à celui que pourrait faire une violente averse sur la verrière sans doute double, ou faite d'un verre épais et isotherme, car c'est à peine si le pâle soleil tropical la traverse, encore pâli, privé de forces, diffus, et lui aussi statique. De la cavité à l'ouverture en forme de guitare le docteur retire l'un après l'autre les organes (ou, lorsque ceux-ci sont trop gros, des morceaux d'organes) coloriés. Ceux-ci sont faits d'une matière légère, comme du carton bouilli ou du celluloïd. Ils s'emboîtent les uns dans les autres par un ingénieux système d'ergots qui permet de les détacher — ou de les replacer — sur une simple traction ou pression. Le docteur les range avec soin sur une tablette au plateau recouvert d'une serviette blanche disposée à côté de la table d'examen. Un petit personnage se tient debout au bord du chemin sur lequel Orion s'avance. Sa tête arrive tout juste à la hauteur du genou du géant. Il écarte les bras dans un geste d'étonnement. Le visage renversé il regarde très haut au-dessus de lui le profil aveugle. Les bustes de deux autres personnages, la tête également levée vers le ciel et les bras écartés, apparaissent hors d'un repli du terrain, se détachant en sombre sur la pente de la colline au second plan. Le grand nègre moustachu aux joues gonflées d'écureuil referme bruyamment l'arrière du camion. En longeant son flanc gris pour gagner la cabine il jette encore un regard inexpressif en direction de l'homme malade. Puis il monte dans la cabine où son compagnon est déjà installé, claque la portière, et le camion démarre, obliquant tout de suite à gauche, sa roue arrière droite écrasant la pile des emballages accumulés. Après son passage quelques pans de carton se relèvent lentement. Les cartons sont d'une couleur terreuse. Là où ils ont été déchirés ils laissent voir leur tranche épaisse, feuilletée et pelucheuse, d'un jaune pisseux. La vieille dame vêtue de soie rose repousse à l'intérieur du sac de perles les billets froissés, se redresse et, une pièce de monnaie entre deux doigts, reprend sa marche vers le tambour auprès duquel se tient le portier. Le docteur remet méthodiquement l'un après l'autre dans la cavité du ventre les organes qu'il a examinés et qui s'emboîtent exactement, chacun à sa place. De la même voix neutre, sèche, dissimulant mal son ennui, il dit Vous pouvez vous rhabiller. L'homme malade se lève et quitte la bouche d'incendie. Légèrement courbé en avant, la cigarette qu'il a oublié d'allumer toujours fichée entre ses lèvres, inclinée vers le sol, les maxillaires toujours serrés, il s'avance lentement, en s'efforçant de se tenir le plus droit possible, dans la direction du carrefour au-delà duquel il peut toujours voir, dans le prolongement de la rue, la marquise de l'hôtel en verre dépoli et acier avançant en porte à faux au-dessus du trottoir. S'éloignant de l'inscription DIOS ES AMOR, il voit se succéder confusément au ralenti sur le côté droit de son champ visuel la brochette des jambes ambrées, l'ouverture d'un large portail, un étalage de chaussures, un magasin de machines à écrire, les plantes vertes qui décorent le bas de la glace d'une caféteria. Il avance

75

à la fois assez lentement pour que quelques-unes de cette série d'images (un couloir grisâtre, les reflets brillants sur des escarpins vernis, un cactus) aient le temps de s'inscrire avec précision sur sa rétine, et suffisamment vite (à moins que ce ne soit l'effet de son malaise) pour qu'elles ne fassent qu'apparaître et disparaître (de même que les visages qui viennent à sa rencontre sur le trottoir) dans un vague brouillard de formes non identifiées — ou peut-être reconnues mais oubliées en même temps que perçues, les concepts (passage, souliers, verdure) s'interposant entre le regard et les objets, substituant à ceux-ci une série d'images préfabriquées et sans présence. Au fur et à mesure qu'il progresse, la disposition des formes qui l'entourent se modifie. Toutefois, si, près de lui, les images défilent et se succèdent (une vitrine, un étalage remplaçant l'autre) à un rythme relativement rapide, par contre, lorsqu'il relève la tête, il semble qu'il n'ait pas progressé : l'interminable corridor que constitue la rue s'allonge toujours, sa lointaine extrémité reculant sans cesse dans la brume blanchâtre qui stagne sur l'océan. Plus haut, les gratte-ciel pâles glissent ou plutôt dérivent, verticaux, avec une telle lenteur qu'il ne perçoit presque aucun changement dans leurs dispositions. Toujours hautains, lointains, ils se masquent l'un l'autre, s'oblitèrent, reparaissent, se remplacent, comme d'évanescentes apparitions dans le ciel aveuglant, fantomatiques, sans pourtant se rapprocher ni avancer, de sorte qu'il lui semble se traîner sur place, englué dans une espèce de pâte tiède et visqueuse dont il ne parvient pas à se détacher, faite indistinctement de pierres, de briques et de vapeur d'eau. Quoique les règles de la perspective soient apparemment observées pour suggérer au spectateur la sensation de profondeur, le peintre s'est contradictoirement attaché à multiplier les artifices qui ont pour résultat de détruire cet effet, de façon que le géant se trouve partie intégrante du magma de terre, de feuillages, d'eau et de ciel qui l'entoure. Orion ne s'avance pas debout sur un chemin, son corps dans un axe vertical au plan de celui-ci, comme par exemple une pièce d'un jeu d'échecs debout sur une case de l'échiquier, entourée d'air et de vide de tous côtés. Il apparaît, au contraire, comme une figure de bas-relief, collé au décor qui est censé l'encadrer ou lui servir de fond. Le corps gigantesque saille ou s'enfonce selon les lumières et les ombres dans cette nature dont il ne se détache jamais. Le sol, les rameaux des arbres, les nuages, sont eux aussi habilement éclairés ou assombris, de sorte que tantôt les parties du corps dans l'ombre (le bras droit, le dos) ou dans la lumière (l'épaule et le bras gauche tâtonnant en avant, la jambe gauche tendue en arrière) se découpent nettement, tantôt d'autres parties (la jambe droite portée en avant, le milieu du corps, la main qui tient l'arc) se confondent avec eux. De ce fait le paysage perd toute dimension perpendiculaire à la toile. Au contraire il se bossèle, se creuse, projette en avant certains de ses éléments, non pas selon leur proximité ou leur éloignement rationnel mais selon les seuls besoins de cette rhétorique. Il cesse d'être ciel, cailloux, feuilles, pour se faire environnement, ou plutôt gangue. Ce ne sont pas des masses gazeuses, minérales ou végétales plus ou moins proches, à la façon des plans d'un décor, mais de simples accidents de lumière (ou de couleur) s'accrochant aux reliefs (saillies) d'une même et unique pâte moulée en ronde bosse. Si les objets lointains, comme par exemple la colline à l'horizon, au flanc de laquelle le chemin reparaît, s'élève en serpentant, sont bien dessinés à une échelle plus petite, ils sont par contre ramenés au premier plan par la vigueur des contrastes et des accents. Le rocher qui surplombe la colline, aux pans violemment éclairés ou obscurs, le bouillonnement tumultueux des nuées aux noirs replis, sont de la même nature que le dos musculeux, rocheux, du géant englué dans cette argile où le créateur a pétri indifféremment les formes du monde vivant et inanimé. La curieuse disposition des nuages vient encore confirmer au visiteur du musée qu'il ne contemple pas un spectacle à trois dimensions. Ils imitent les circonvolutions intestinales et cartonneuses de ces nuées parmi lesquelles trônent les vierges et les saints des retables baroques, leurs pieds de marbre posés comme sur des coussins sur les tourbillons taillés au ciseau dans la pierre ou moulés dans le stuc et qui serpentent entre les colonnes torses, se mêlent aux plis des linceuls pendant hors des sépulcres, aux draperies qui déploient leurs tonnes de porphyre en d'aériens baldaquins claquant au vent d'imaginaires tempêtes et soutenus par des angelots. Autour de la tête d'Orion (et non pas derrière) ils enroulent leurs lourdes volutes avec lesquelles se confondent les plis flottants de la tunique du serviteur perché sur ses épaules, désignant de son doigt au visage aveugle un but idéal, fait seulement, comme le doigt lui-même, les paupières closes, les épaules bosselées et les empreintes des pieds monumentaux dans la poussière du chemin, d'une mince pellicule de couleur. Dans les quatre panneaux de la porte à tambour qui continue à tournoyer à vide, les reflets des lumières glissent horizontalement, entraînés de droite à gauche, chaque fois repris et relancés par le battant suivant, se superposant aux taches lumineuses fixes (fenêtres, vitrines) ou mouvantes (phares d'autos) suspendues dans la nuit. Au-delà du tambour, sur le trottoir, on distingue la silhouette rose de la vieille dame, voûtée (comme fléchissant sous le poids de l'énorme réséda), qu'avec des gestes précautionneux le portier aide à s'introduire dans une voiture. La cabine du téléphone est toujours inoccupée. Le tuyau métallique et annelé qui relie le combiné au corps de l'appareil décrit une boucle immobile. Le corps de l'appareil consiste en une boîte faite d'une manière plastique noire, surmontée d'un cadran percé de trous correspondant à des groupes de lettres et de chiffres chaque fois au nombre de trois. Il suffit d'introduire une pièce dans une fente, de décrocher le combiné et de tourner plusieurs fois du doigt le cadran circulaire pour entendre un grésillement qu'interrompt bientôt une sonnerie régulière. La dormeuse serre ses cuisses sur la main velue qui enferme son con. Elle gémit faiblement et se tourne à son tour sur le côté en se serrant contre l'homme. Dans cette position son dos blanc et ses reins se trouvent collés à la paroi transparente sous laquelle remuent les organes pourpres et bleutés de son compagnon. De nuit la base des buildings est éclairée par la lumière blafarde des réverbères ou celle rougeoyante des enseignes. A mesure que le regard remonte vers les étages supérieurs, les murailles disparaissent progressivement dans les ténèbres où sont accrochés çà et là les rectangles éclairés des fenêtres. Les façades vitrées de quelques gratte-ciel restent constamment illuminées. Leurs rangées superposées de milliers de fenêtres séparées par de minces montants d'acier s'élèvent en parois scintillantes et diamantines d'une hauteur prodigieuse. Autour de leurs sommets l'épaisse brume de chaleur est teintée par les néons des réclames de reflets d'un rose sale. D'autres, par contre, sont entièrement plongés dans le noir. Désertés par leur population diurne, ils sont abandonnés aux ténèbres. Derrière leurs façades obscures il semble que l'on puisse voir leurs pièces superposées, leurs couloirs, comme des rangées de casiers entassés dans la nuit, seulement emplis, comme

les alvéoles éventrées des maisons livrées aux démo-
lisseurs, d'objets inutilisables et dépareillés. Les tables
boiteuses, les pieds de chaises cassés, les buffets aux
portes sculptées et pendantes, les bureaux à cylindres,
les machines à écrire rouillées, les dossiers de sièges
à la moleskine crevée, aux crins broussailleux, les
poutres, les feuilles d'acanthe des moulures, les balus-
trades, les pales des ventilateurs, tous les débris, iden-
tifiables ou non, sont uniformément recouverts par
la nuit d'une épaisse couche de peinture noire. Noir
sur noir également, les palmettes ou les bouquets de
fleurs des papiers peints ne se distinguent que par
d'infimes nuances encreuses, plus ou moins mates,
plus ou moins plombées, d'infimes reliefs. Peu à peu
le niveau sonore des applaudissements décroît, le
crépitement semble s'émietter, se fragmentant et se
localisant en quelques foyers distincts. Des groupes
d'importances diverses s'obstinent encore un moment,
puis eux-mêmes se fragmentent. A la fin il ne reste
plus que quelques enthousiastes isolés qui continuent
un moment à battre des mains tandis que le président maintient son bras levé, attendant patiemment,
puis, quand les derniers applaudissements s'éteignent,
l'abaissant enfin, l'étendant devant lui, la paume en
l'air, dans la direction du sénateur qui acquiesce
d'un mouvement de tête, se redresse, corrige l'orientation du microphone placé sur son pupitre, et reprend
la parole : No hay para que decirlo (Il va de soi,
dit l'interprète) que la muy justa intervención (que

la très judicieuse intervention) del señor Ramírez (de monsieur Ramirez) cuenta con toda mi aprobación (recueille mon entière approbation). Quelques applaudissements clairsemés s'élèvent dans l'hémicycle, le président applaudit aussi, le sénateur lève la main pour demander le silence. Il reprend : No hay para que decirlo (Il va de soi) que si los problemas inherentes a toda creación literaria (que si les problèmes inhérents à toute création littéraire) que he tratado de analizar (que j'essayais d'analyser) incumben fundamentalmente (se posent fondamentalement) a todo escritor (à tout écrivain), esos problemas (ces problèmes) no pueden ser planteados (ne peuvent s'inscrire) fuera del conjunto de los problemas (hors de l'ensemble des problèmes) inherentes a la sociedad en la cual él vive : (inhérents à la société dans laquelle il vit :) los problemas de la miseria (les problèmes de la misère), de la opresión (de l'oppression) y de la explotación del hombre por el hombre (et de l'exploitation de l'homme par l'homme). No hay para que decirlo... Parfois une flèche, un dôme illuminé par des projecteurs, apparaît suspendu entre ciel et terre dans ces ténèbres lilas, entouré d'un poudroiement neigeux. Sur les crêtes inviolées aux noms de monstres le vent des cimes soulève d'étincelants panaches de neige qui tournoient en permanence, comme des fumées. Tout au fond des artères qui s'allongent parallèlement du sud au nord et du nord au sud à travers la ville, des courants continus de lumières glissent lentement, comme des globules, sous les épaisseurs de vapeurs bleuâtres qui s'accumulent entre les blocs noirs dans les tranchées encaissées. Çà et là flamboient des îlots de lumière. A partir d'un carrefour, d'un segment d'avenue, ils allongent leurs tentacules dans les rues perpendiculaires, dessinant des étoiles ou des croix de Lorraine irrégulières, comme des coulées de métal en fusion se répandant de proche en proche dans les rigoles des fonderies, d'abord aveuglantes, puis rougeoyantes, puis égrenant leurs lueurs à mesure qu'elles s'éloignent du creuset, refroidissent et se perdent dans le noir. Quoique leur ensemble brille d'un éclat permanent, les lumières qui les composent ne cessent de changer de couleurs ou de puissance. Réglée par un mouvement d'horlogerie, chacune d'entre elles s'éteint et se rallume alternativement à des intervalles dont rien ne dérange la régularité. Éblouissant les yeux de leurs myriades scintillantes, elles reforment avec l'implacable application des mécaniques des suites de combinaisons variées mais limitées dont le retour régulier semble ponctuer l'obscur écoulement du temps. Se poursuivant le long des rangées d'ampoules, envahissant toute la surface d'un panneau, clignotant sans arrêt, parcourant des flèches, inversant les couleurs des lettres et des fonds, dessinant les chiffres des heures, des minutes, des secondes et des dixièmes de secondes qui se tordent, se cassent, se reforment et se succèdent avec une terrifiante rapidité, les lumières impriment sur la rétine les noms ou les sigles de compagnies aériennes, de vedettes de cinéma, de rasoirs, de désodorisants, de marques d'automobiles ou de bourbons. Encadrés de rectangles, de soleils ruisselant d'or, de lunes rouges ou d'éphémères cascades de diamants, ils sont inlassablement répétés comme ces injonctions ou ces leçons à l'usage d'idiots ou d'enfants retardés. Du gigantesque conglomérat de cubes, de tours, de ponts suspendus, de taudis, d'entrepôts, de docks, d'usines, d'échangeurs, de voies express, de cinémas, de réclames clignotantes, monte toujours le même grondement sourd déchiré sans trêve par les sirènes aiguës, plus ou moins proches, des voitures des pompiers ou de la police, comme les annonces de quelque permanent désastre, s'étirant, se relayant, en longs cris plaintifs de folles. Elles parviennent à travers l'air surchauffé, mêlées aux bouffées écœurantes d'huile chaude, de gaz brûlés et de relents de gargotes. Dans un jour électrique et grisâtre, mort, les rues transversales allongent leurs kilomètres d'asphalte bosselée parsemée d'emballages vides, de journaux déchirés, de papiers sales, bordée de vitrines éteintes, d'enseignes de bars, de palissades, de portails aux colonnes florentines, aux cariatides boursouflées et aux géants barbus, ventripotents, supportant sur leurs épaules le poids des falaises violacées. Dans la nuit, d'avion, on peut voir de loin en loin à la surface de la terre obscure d'inquiétantes lueurs. A mesure qu'elles se rapprochent on distingue des branches d'étoiles, des tentacules, des croix incandescentes, comme des cra-quelures de la sombre écorce par où sourdrait une lave de feu expulsée par quelque cataclysme intérieur. Sauvages, insolites dans l'immensité nocturne, déri-soires sous les froides et lentes constellations, les artificiels incendies où flamboient, s'éteignent et se rallument les noms de stars, de lubrifiants, de par-fums, de whiskies et de pneumatiques dérivent len-tement, luttant, insensés, contre les ténèbres qui les enserrent. Un instant déchirées, repoussées par les feux des millions de volts, celles-ci se referment, refluent inexorablement à chacune des pulsations lan-cées depuis les monstrueuses machines invisibles nourries de mines d'or, de forêts vierges englouties, de nègres fouettés et des millions de tonnes d'eau basculant avec fracas dans les sauvages cataractes. Gravé en taille-douce au moyen d'un réseau de fines lignes lilas s'entrecroisant dans les ombres, s'égrenant en pointillés plus ou moins espacés dans les lumières, plusieurs personnages sont rassemblés sur un tertre que domine un rocher. Le dessin maladroit représente un groupe de soldats armés de piques et d'épées, cas-qués, le buste revêtu d'une cuirasse, les jambes dans des pantalons bouffants et de hautes bottes à cuissards. Leur chef au casque orné de plumes, la main gauche reposant sur la garde d'une épée plantée verticale-ment dans la terre, porte l'index de sa main droite vers le sol, comme pour désigner cet endroit précis à l'un de ses compagnons, derrière lequel se tient un moine revêtu d'une longue robe blanche à capuchon. A l'arrière-fond on distingue une plaine où scintillent les deux bras d'un fleuve qui se divise en Y, et des montagnes. Au-dessous est écrite la légende : Foundation of Ciudad Nueva. Assis sur un rocher au premier plan se tient un Indien armé d'un arc, le cou entouré d'un collier aux pendeloques de métal, la tête levée vers le chef des soldats, et désignant de son index tendu le même point sur le sol. A l'alignement des façades une grille de fonte longe le trottoir protégeant la fosse qui le sépare d'un immeuble construit en retrait. Les barreaux de la grille sont terminés par des pointes en forme de fers de lance. Un escalier descend en quelques marches vers une petite porte ouverte sur un rideau de velours marron. Franchi le seuil, il est brutalement surpris par la fraîcheur, le silence et la pénombre épaisse dans laquelle il avance en hésitant, comme s'il pénétrait dans une de ces vieilles photographies tirées sur un papier foncé et rougeâtre supprimant les demi-teintes, ses yeux éblouis par l'aveuglante lumière du dehors ne distinguant d'abord que les petites lampes dont l'éclat assourdi se reflète sur les flancs des bouteilles, les hampes en métal chromé des robinets de bière, le bois ciré des meubles et les têtes dorées des clous qui bordent les sièges des tabourets. Derrière le comptoir une tache claire, à peu près carrée, semble flotter comme un ectoplasme, dessinant le buste d'un homme corpulent en manches de chemise, le col fermé par une cravate aux couleurs criardes plaquée sur la poitrine par une barrette. Se guidant sur la tache et tâtonnant de la main dans les reflets, il saisit le bord d'un tabouret qu'il tire en arrière et sur lequel il se hisse. Après quoi, ses deux pieds calés par les talons au barreau inférieur, ses avant-bras appuyés sur le comptoir, il s'immobilise. Un temps assez long s'écoule ainsi sans qu'il fasse un mouvement, fixant devant lui, accrochée à la boiserie sombre, la photographie en noir et blanc d'un jeune homme, le buste nu, les bras à demi repliés en position de garde, les épaules remontées, le menton dans la poitrine, et dont, sous les sourcils, les yeux vigilants et durs le fixent aussi derrière le rempart des poings nus. Une légère et fade odeur de bière éventée flotte dans l'étroit couloir lambrissé dont le comptoir occupe la plus grande partie. Sur le mur crème du salon d'attente du docteur est suspendu un tableau représentant le coin d'un ring où un boxeur est affalé, les deux bras soutenant son buste, le visage ensanglanté, ses cheveux en désordre collés sur le front par la sueur. Derrière lui, dans une pénombre marron, on distingue des formes vagues et, coupées au ras du cou comme des têtes de décapités posées au bord du ring, celles de ses soigneurs qui crient des encouragements. D'autres tableaux ornent les murs : un bouquet d'anémones, une plage ensoleillée avec des baigneuses et des parasols aux vives couleurs, un port où des navires et des grues se silhouettent en gris bleuté sur une eau couleur de bile. Au bout d'un moment il commence à sentir la sueur se refroidir lentement entre ses omoplates et sur son torse. Les bruits extérieurs parviennent là aussi de très loin, étouffés. L'épaisse moquette, les guéridons, la commode de marqueterie, les fauteuils de style, composent le décor anonyme de ces pièces au luxe stéréotypé comme on en trouve dans les palaces ou les expositions d'antiquaires, soigneusement vidées de toute trace de désordre ou d'habitation, vacantes, consacrées à l'attente, au passage et au commerce. Entre deux candélabres de bronze, une pendule également en bronze doré est posée sur la cheminée. Accoudée au cadran, une marquise à la robe de métal, à l'étroit corset, penche gracieusement la tête, un vague sourire aux lèvres, vers un jeune homme à tricorne assis à ses pieds et qui gratte une mandoline. Quoique les aiguilles soient immobilisées, il semble que l'on puisse entendre comme un fracas silencieux, comme l'avance d'un glacier invisible : quelque chose de grisâtre, immatériel et formidablement lourd qui avancerait sans répit, une avalanche au ralenti, rabotant le plancher, les murs, en marche depuis des milliards d'années, patiente et insidieuse. Brusquement la tache blanche s'interpose entre lui et la photographie, et il peut reconnaître, au-dessus de la cravate aux tons violents, le même visage que celui du jeune boxeur, mais empâté maintenant, à la fois massif et mou, les chairs boursouflées et effondrées sur la puissante ossature. Le buste est légèrement incliné en avant, les deux avant-bras nus au-dessous des manches retroussées écartés et appuyés sur le comptoir. Comme un peu plus tôt le regard du nègre et celui des passants, les prunelles dures semblent le fixer sans le voir, sans impatience, sans patience non plus : simplement attendant. Derrière la silhouette épaisse il parcourt alors des yeux l'alignement des bouteilles aux étiquettes coloriées, noires, dorées, grenat, jaunes, avec leurs lettres en oblique, calligraphiées, ou cyrilliques, l'éternel petit cheval blanc, l'éternel dandy pickwickien en redingote rouge, monocle, bottes et chapeau haut de forme, les éternels chapelets de médailles ou les couronnes aux coiffes cramoisies, puis de nouveau le visage au nez écrasé, les prunelles immobiles qui semblent regarder quelque chose à travers lui. A la fin il dit Une bière. Est-ce que je peux avoir une bière ? Aussi brusquement qu'il s'est immobilisé le buste massif se redresse et s'éloigne, passant de l'immobilité au mouvement sans transition, comme ces bêtes, ces sauriens capables de se figer durant des heures sous l'aspect d'un tronc ou d'une branche morte et de s'élancer soudain avec une foudroyante rapidité. Échouées sur les rives envasées des rivières on aperçoit des formes brunes, allongées, à demi immergées. L'avion vole trop haut pour qu'on puisse distinguer leur nature exacte. Parfois de misérables cabanes du même gris jaunâtre que l'eau, les herbes ou la vase, sont posées sur la rive, entourées d'un enclos du côté de la terre, une pirogue ou un bateau tiré sur la plage boueuse. Poursuivant sa lente progression la masse neigeuse et grisâtre avance irrésistiblement. Maintenant elle obstrue complètement la porte, comme une muraille molle, comme la poussée de quelque excrément décoloré expulsé par quelque monstre, quelque pachyderme invisible. Des plaques, des pans entiers, comme des gravats, se détachent parfois de son front, basculent, tombent sur le tapis aux couleurs suaves, peu à peu recouvertes par d'autres qui s'amoncellent en déblais au pied de l'implacable falaise en marche. Dans son dos et le long de ses côtes la sueur est maintenant glacée, et ses épaules sont secouées d'un frisson. Apparemment insensible à la fraîcheur, le gros homme en manches de chemise arase à l'aide d'une spatule de bois la mousse qui déborde du verre. Celui-ci est posé à l'aplomb du robinet sur une plaque de métal chromé percée de rangées de trous ronds. A l'intérieur du verre, sous la couronne de mousse, s'élèvent des colonnes scintillantes de petites bulles. Tandis que le niveau du liquide remonte lentement, le gros homme se tient immobile, ses deux bras écartés appuyés de nouveau sur le comptoir, ses yeux grisâtres et vitreux de saurien de nouveau morts, fixant droit devant lui sans les voir deux consommateurs juchés sur leurs tabourets et qui devisent à mi-voix. Par moments l'un d'eux agite faiblement son verre où tintent des glaçons. A l'autre bout du comptoir est assis un homme vêtu d'une salopette bleue à bretelles qui a posé sur le comptoir deux billets verts. Le col de sa chemise à carreaux est boutonné, son visage gris et fatigué est vide d'expression. Il regarde aussi fixement devant lui et se tient parfaitement immobile. Le trop-plein de mousse glisse lentement sur les parois du verre, s'étirant, se fragmentant en paquets de bulles agglutinées, comme de la bave. Se répandant à partir de la porte la masse grisâtre et grumeleuse est maintenant parvenue jusqu'au milieu du salon. A la suite d'éboulements successifs elle a perdu son aspect de falaise pour prendre la forme d'un plan incliné, comme un énorme coin qui continue à glisser imperceptiblement, poussant devant lui la moraine de parcelles plus ou moins grosses qui se détachent sans cesse, dévalent la pente et, emportées par leur élan, roulent sur le tapis où elles s'éparpillent en avant du cône d'éboulis dont la pointe extrême atteint le pied du guéridon au milieu de la pièce. Plusieurs magazines aux coins cornés, aux couvertures sillonnées de craquelures, sont disposés sur le guéridon. Il regarde le gros homme appuyer de nouveau sur le levier du robinet, surveiller le niveau de la mousse qui remonte rapidement, l'araser de nouveau, puis prendre le verre entre le pouce et l'index et venir le déposer devant lui sur le comptoir. Il dit Merci. Le barman fait entendre un bruit indistinct en s'essuyant les doigts. Sur quoi il avise le verre vide de l'homme en salopette, s'en saisit, le rapporte un moment après de nouveau plein, s'empare de l'un des deux billets, va jusqu'à la caisse, revient, et repose plusieurs pièces sur l'autre billet toujours sur le comptoir. Ni le barman ni l'homme en salopette n'ont proféré un mot. Devant lui, dans la bière dorée, les chapelets de bulles minuscules continuent à s'élever tandis que la surface de la mousse s'abaisse lentement, se crevant de trous, s'effondrant par degrés. En relevant les yeux il voit le regard de l'homme en salopette fixé sur lui et qui se détourne aussitôt. Une femme d'âge moyen, au visage empâté, est assise sur l'une des bergères de l'autre côté du guéridon. Ses jambes jointes paraissent anormalement grosses. Au-dessus du décolleté du soulier la chair du cou-de-pied se gonfle en un épais bourrelet. Comme son regard remonte vers le visage il croise celui de la femme et, ensemble, ils détournent leurs yeux. Embarrassé, il se lève à demi, se penche, et se saisit d'un des magazines posés sur le guéridon dont les pieds disparaissent maintenant à moitié dans la chose grise qui, entre-temps, a poursuivi son avance. Sur la couverture du magazine est représentée une femme vêtue d'une longue robe argentée, ceinte d'un ruban rouge en sautoir et couronnée d'un diadème, debout devant un rideau de velours bleu vif. Les aiguilles de la pendule marquent toujours la même heure. De nouveau la mer monotone des nuages cache la terre et l'avion semble suspendu, immobile, dans une sorte d'éternité figée, sans points de repère, ni en avant, ni en arrière, ni à droite, ni à gauche.

VEN a JESUS que te dara LA VIDA ETERNA. Sur le mur de briques vernissées et sales de la station de métro, près des portillons de sortie, les rectangles verticaux des affiches sont encadrés d'un filet vert olive fait de briques plus minces. L'affiche suivante représente le visage d'un homme à l'abondante chevelure, à la moustache tombante et au menton en galoche, derrière les barreaux d'une grille. Dans l'écouteur il peut de nouveau entendre, dans les intervalles entre les sonneries, le même bruit monumental et grisâtre de cette chose en train de s'écouler, le même majestueux chuintement, ce silencieux fracas de lente érosion, de lente dégradation. A travers les petits carreaux de la porte de la cabine aux croisillons peints en rouge il relit pour la seconde fois sur l'affiche blanche les mots en grandes lettres : JESUS VIDA ETERNA, au-dessus d'une croix entourée de rayons divergents sous laquelle il est écrit en capitales plus petites TU QUE BUSCAS EN LAS TINIEBLAS. Cette fois c'est une femme qui répond. La voix est calme, posée. Il dit très vite Allô. Puis, tout de suite, C'est moi. Elle dit Oui. Il dit de nouveau C'est moi, je... je... Puis il attend, l'entendant respirer, entendant sa propre respiration, les battements de son sang dans ses oreilles. IT IS NEVER TOO LATE. A la fin elle dit Oui. Oui je sais. Puis ils restent de nouveau tous les deux sans parler, respirant seulement. A l'intérieur de la cabine la chaleur est suffocante. Sa poitrine se soulève avec difficulté. Il lui semble sentir le poids des tonnes de pierres, de briques et d'acier entassées les unes sur les autres, là-haut, dans cette lumière et cet air eux-mêmes aussi pesants que le métal, la brique ou les pierres. LA MISION CATOLICA SAN ISIDRO TE AYUDARA, 123 West 86 St. Elle dit Où es-tu ? Pour dominer le fracas de la rame qui entre en gare il crie très fort Je suis ici, à côté de chez toi ! Il crie le nom de la station de métro. Elle dit Où ? Il crie de nouveau A côté de chez toi ! et répète le nom de la station. Puis il se tait tandis que des silhouettes obscures passent rapidement entre la cabine et les affiches. AT 36 YEARS OLD PAUL GAUGUIN WAS STILL WORKING AS A CASHIER IN A BANK. IT'S NEVER TOO LATE. Il dit Allô ? Elle dit Oui. Entre les parallèles horizontales que délimitent les bords inférieurs et supérieurs des fenêtres des wagons il voit les rangées de bustes de dos, épaules et têtes, en sombre, et, derrière, les voyageurs debout, en pleine lumière, un bras levé, accrochés aux poignées. Au moment où la rame démarre ils vacillent, s'inclinent tous brusquement du même côté, puis rétablissent leur équilibre tandis que la rame prend peu à peu de la vitesse, les chocs des roues aux cassures des rails se précipitant, le fracas s'amplifiant, les brochettes de bustes coupés aux épaules et de voyageurs aux bras levés défilant de plus en plus vite, le fracas maintenant de nouveau assourdissant, puis coupé net, comme au couteau, non plus fracas mais bruit qui décroît rapidement, la fin du dernier wagon disparaissant, s'enfuyant sur la droite, démasquant la forêt de poutres en Y bordées de boulons et peintes en vert olive au-delà desquelles on aperçoit l'autre quai mal éclairé où sont plantées les silhouettes d'autres voyageurs. Elle dit Écoutez, madame, je... Il dit Madame ? Elle dit Oui. Il dit Oui je... C'est vrai. Je... Elle dit très vite d'une voix différente, étouffée, comme si elle cachait sa bouche dans sa main Je ne peux pas parler. Encore une fois il répète le nom de la station. Il dit Je veux te voir. Elle dit Je ne peux pas. Il dit Quand ? Derrière les barreaux de sa grille de caissier l'homme au menton en galoche guette de son regard en coin. Elle dit C'est impossible. IT'S NEVER TOO LATE. La partie supérieure de la masse grisâtre qui progresse dans le salon affleure maintenant le cadre du bouquet d'anémones. Son front avancé atteint le pied du fauteuil où il est assis. Autour et même au-delà de ses propres pieds, plusieurs des fragments de diverses tailles qui sans cesse se détachent et roulent sur la pente et le tapis sont éparpillés. Une petite avalanche déboule et vient buter contre sa cheville. Il peut en sentir le contact glacé. Il peut aussi sentir, dans cette position assise, la masse pesante et dure qui remplit son flanc droit et remonte contre le diaphragme, comprimant les organes. IT'S NEVER TOO LATE ! EVENING ART SCHOOL. DRAWING. PAINTING. SCULPTURE. DESIGN. Il dit Allô ? Elle dit Oui. Il dit Je ne... Elle dit Un instant ! Puis il l'entend parler loin de l'appareil cette fois, dans une autre direction, la voix calme, avec ces intonations doucement persuasives comme quand on demande à un enfant de faire moins de bruit ou d'aller jouer plus loin. Puis, très faible, la voix de l'enfant. Puis de nouveau la voix de la femme répondant à l'enfant. Devant lui, sur le comptoir, le verre est toujours à la place où le gros homme l'a posé. La couronne de mousse a fini de se résorber, et le niveau de la bière se situe un peu au-dessus de l'endroit où commençait la couronne. Quelques petites bulles seulement se détachent de temps à autre du fond et s'élèvent vers la surface où elles crèvent ou bien s'agglutinent en grappes qui dérivent selon des lois imprécises, se joignent parfois à d'autres, finissent par s'immobiliser, pressées, contre les flancs du verre. La faible et tenace odeur de bière éventée qui, en dépit de l'air conditionné, flotte dans la demi-obscurité du bar, semble s'exhaler des meubles eux-mêmes, du comptoir, des boiseries qui couvrent les murs. Comme un gaz subtil et délétère aux relents de fermentation, comme si l'étroit boyau était creusé à l'intérieur de quelque bête vivante, quelque ruminant à la lente et malodorante digestion. La lanterne rouge du dernier wagon a disparu dans le tunnel noir où s'enfonce la forêt des poutrelles rivetées et d'où proviennent des échos assourdis, lointains, de roulements, de secousses et de trépidations. Des profondeurs obscures souffle une puanteur brûlante, aux composantes fétides

de renfermé, de sueur et de désinfectant. VIDA
ETERNA. Il dit Allô ? Tu es là ? Elle dit Oui. Il dit
Je ne peux plus. Il faut absolument... Puis sa voix
est couverte, noyée dans l'avalanche de bruit, l'affolant fracas de métal entrechoqué, concassé, comme
une série de déflagrations, tandis que lancée à toute
allure sur les voies du milieu une rame express traverse la station sans s'arrêter, les mêmes brochettes de
bustes assis et sombres et de silhouettes aux bras levés
emportées vertigineusement à l'horizontale défilent,
hachées par les poteaux métalliques, et disparaissent,
le fracas de catastrophe décroissant, s'enfuyant, la
cargaison d'humains engloutie, aspirée dans les profondeurs de quelque séisme, de quelque gouffre souterrain, dans un bruit répugnant de succion. Elle dit
Je n'entends pas. Il dit Il faut que je te voie. Je veux...
Elle dit Non. Il dit Si : en bas de chez toi. Elle dit
Non. C'est impossible. Tu le sais. Il dit Si. Puis de
nouveau il se tait, respirant seulement, écoutant là-bas
l'autre respiration, haletant légèrement, et peut-être
un autre bruit plus faible que celui de la respiration, silencieux, humide. SOMEBODY IS ALWAYS
WINNING. IT MIGHT AS WELL BE YOU. Le
métro roule 24 heures sur 24 et chaque rame compte
entre deux et dix voitures. Il couvre 380 kilomètres,
transporte 1 362 000 000 de voyageurs par an et
emploie 35 000 agents. Les trains peuvent être omni-
bus ou express. Complètement habitués maintenant
à la pénombre, ses yeux distinguent sur les flancs des

bouteilles deux sortes de reflets. Les uns sont fixes et jaunes. Ce sont ceux des appliques aux lumières assourdies accrochées aux parois de chêne et qui éclairent l'intérieur du bar. Les autres sont froids, argentés, et varient sans cesse d'intensité. Dans leurs minces raies étirées d'autres raies plus minces encore, verticales, grises ou noires, semblables à des bâtons ou plutôt des fils, se déplacent de gauche à droite ou de droite à gauche, se croisant, en perpétuel mouvement. Le rectangle de la fenêtre du bar en contre-bas de la rue est obstrué aux deux tiers par la murette de soutènement de la chaussée ne laissant, en haut, qu'une étroite bande horizontale où l'on peut voir, comme par un soupirail, aller et venir, se croiser, les pieds et les jambes des passants coupées aux genoux. Ils se meuvent dans une lumière qui, par contraste avec la pénombre acajou du bar, paraît blanchâtre, froide, comme s'ils évoluaient dans un autre élément ou derrière la vitre d'un aquarium. A travers la lourde tenture de velours qui obstrue la porte, les échos de l'incessante agitation extérieure parviennent comme de très loin. HONEY WE'RE RICH! THAT'S WHAT MRS JAMES JACKSON SAID WHEN SHE WON 250 000 IN THE STATE LOTERY. Il dit Allô ? Tu es là ? Allô... Elle dit Oui. Il dit Écoute... Puis, encore une fois, sa voix meurt, s'affaisse, et de nouveau ils restent là sans parler, s'écoutant tous les deux respirer, et rien d'autre, sauf le chuintement de cette chose qui continue à s'écouler inexorablement, monotone, comme les minces cascades qui s'échappent entre les portes d'une écluse, tandis que, bouchant d'un doigt l'oreille opposée à l'écouteur, il voit de nouveau passer rapidement les silhouettes obscures devant le visage de Gauguin haché par les barreaux de cuivre, la croix qui donne la Vie éternelle, la dame d'âge mûr en tablier de ménagère qui presse son visage contre la poitrine de son mari dont le profil osseux d'Irlandais, ridé et souriant, se penche au-dessus d'elle. SOMEBODY IS ALWAYS WINNING. IT MIGHT AS WELL BE YOU! Il est maintenant enfoui jusqu'à mi-corps dans l'avalanche qui continue toujours sa lente progression. En face de lui les pieds et les chevilles de la malade aux jambes enflées disparaissent dans les éboulis grisâtres. Quoiqu'elle n'ait pas changé de position et tienne toujours son sac sur ses cuisses, son regard quand il le croise de nouveau a maintenant quelque chose d'angoissé. Au-dessus du sommet chaotique de l'éboulis en marche émergent encore deux anémones, une rouge, l'autre aux pétales d'un bleu mauve. Pour continuer à lire le magazine il est obligé de l'élever, le tenant, les coudes haut, au niveau de sa tête. Il tourne machinalement les pages. Dans un bruit de papier remué défilent des photos de machines à laver, de postes de télévision, d'Asiatiques affamés, d'un couple royal, d'un joueur de polo, de soldats dans la jungle, de jeunes femmes en maillot couchées au bord de piscines à l'eau turquoise. A travers la masse grumeleuse qui obstrue le rectangle de la porte filtrent parfois, comme de très loin, de rares bruits : un coup de sonnette, un dialogue étouffé, celui d'une autre porte refermée. Les aiguilles tarabiscotées de la pendule rococo sont toujours immobiles. Le crépitement multiple des applaudissements parvient assourdi, ténu, comme un bruit de fond, le grésillement d'un poste de radio mal réglé, ou ce chuintement lointain que l'on entend dans l'écouteur d'un téléphone. A la fin il se fractionne, s'égrène, faiblit encore, et cesse tout à fait. Le visage replet et impassible du sénateur est peut-être maintenant un peu plus rose. Derrière les reflets des lunettes on ne peut voir les yeux, mais on distingue de petites rides s'écartant en éventail vers les tempes, et sous la moustache blanche la bouche est étirée par un mince sourire. Dans le silence revenu il écarte son bras en l'arrondissant, comme un évêque ou un prédicateur, et sa voix s'élève de nouveau : No hay para que decirlo..., dit-il. (Il va de soi..., répète l'interprète.) La porte située en face de celle qui a éclaté sous la lente poussée de l'avalanche s'ouvre soudain et, dans son encadrement, le docteur apparaît, une main posée sur le bouton. En pivotant sur ses gonds le battant repousse quelques-uns des grumeaux qui ont roulé jusque-là et qui laissent sur le tapis des traces écrasées en arcs concentriques. Sans paraître s'en apercevoir le docteur regarde les deux malades qui ont tourné leurs têtes vers lui. Ses yeux se fixent sur la femme et il avance le menton dans sa direction. Inclinant alors le buste et s'appuyant d'une main sur l'accoudoir de son fauteuil la femme se lève avec une rapidité qui contraste avec son embonpoint et entreprend de se diriger vers la porte où le docteur la regarde s'avancer de ses yeux inexpressifs. Après la vivacité de son premier mouvement, la marche de la femme est maintenant ralentie par l'épaisse accumulation d'éboulis dont toutefois la hauteur décroît à mesure qu'elle progresse vers la porte ouverte, avançant l'un après l'autre avec difficulté ses pieds enflés, comme quelqu'un qui marche dans l'eau jusqu'à mi-jambes. Peu à peu cependant son allure se fait plus aisée et elle franchit enfin la porte en passant devant le docteur qui s'est effacé et referme le battant après un dernier regard vaguement irrité en direction du malade qui reste maintenant seul. Pimpante et fraîche, protégée par un tablier de cuisine à petits carreaux bleu ciel et à bavette, une jeune femme souriante tend ses mains vers le spectateur au-dessus de sa vaisselle rangée dans un égouttoir au bord d'un évier. Une de ses paumes est ouverte et renversée, les doigts vers le bas, de façon à bien montrer la peau intacte et lisse. L'autre main projette au premier plan, agrandie par un effet de perspective, une boîte rectangulaire mi-partie jaune et bleue sur laquelle on peut lire en lettres blanches la marque d'un détergent. Les cheveux de la femme sont bouclés et blonds, ses lèvres très rouges s'ouvrent sur un sourire éblouissant. Sur la prairie très verte le joueur de polo casqué de blanc et ganté galope, le buste légèrement penché en avant, son long maillet également incliné à quarante-cinq degrés environ. Les paturons et les genoux de son cheval sont protégés par des manchons et des genouillères de cuir fauve. En file indienne, des hommes armés ou portant diverses charges (munitions, vivres ?) progressent dans un fouillis noir et blanc pointillé ou vergeté de hachures entrecroisées. La photo de mauvaise qualité, pas très nette, la couche de gélatine s'étant peut-être détériorée par suite de l'humidité et de la chaleur, ne permet pas de distinguer avec précision la nature de cet environnement que rien ne différencie, en haut, en bas, à droite ou à gauche. On ne reconnaît pas les formes particulières de feuilles, d'arbres, de tiges ou d'herbes. Partout, uniformément, cachant le bas des jambes jusqu'à la cheville ou parfois même le genou, entourant les têtes, c'est le même fouillis charbonneux piqueté de pastilles claires ou rayé de traits en tous sens, comme un de ces gribouillis d'enfants, la surface de la page biffée, dirait-on, par une main rageuse et maladroite, ou encore comme ces vieux films projetés trop de fois et dont les personnages se meuvent au travers d'une grêle désordonnée de striures et d'écailles blanches qui griffent et trouent la toile de l'écran. Violemment contrasté aussi par la qualité du tirage (ou peut-être par l'effet de la sueur qui ruisselle sur la peau et luit sur les saillies), les modelés des visages aux traits tirés par la fatigue ne sont rendus que par des taches sommaires, noires ou blafardes, sans demi-teintes. De race blanche et d'une stature apparente de géants à côté des porteurs indigènes, les chefs appartiennent à cette espèce d'hommes particulière, durs et résolus, aventurés sous des climats terribles, et qui se ressemblent tous. De petite taille, les indigènes aux corps graciles, aux yeux étroits et aux pommettes hautes, sont de ce type mongoloïde plus ou moins prononcé ou métissé, répandu sur les pourtours de l'océan Pacifique et qui, à de légères différences près, les fait aussi se ressembler tous. Les prunelles sombres noyées dans l'ombre portée de l'arcade sourcilière paraissent dévisager au passage le photographe d'un air méfiant et farouche. Les visages successifs des hommes de la colonne s'égrènent, de plus en plus petits, les silhouettes les plus lointaines se distinguant à peine du fouillis charbonneux qui les cerne. De plus en plus simplifiés aussi, avec leurs yeux réduits à deux fentes, deux barres d'ombre indiquant les lèvres épaisses, les petits masques plats et blêmes enchâssés dans les enchevêtrements de végétations fossilisées semblent eux-mêmes les fossiles gélatineux, exténués et indomptables, des conquérants cheminant à travers les siècles. Aucun bruit ne parvient de derrière la porte que le docteur a refermée tout à l'heure après le passage de la malade. Le bouquet d'anémones a complètement disparu et le sommet de la falaise grumeleuse en marche affleure maintenant le bord du ring où le boxeur au visage ensanglanté, couché sur le côté, la jambe droite étendue, la jambe gauche à demi repliée sous lui, essaie désespérément, les deux bras tendus, de se redresser au-dessus de la masse grisâtre dont le niveau s'élève par d'imperceptibles à-coups, comme progresse une tache de soleil, c'est-à-dire avec la même persévérante et sournoise traîtrise : apparemment immobile lorsqu'on la regarde, puis, profitant de ce que l'œil lassé s'en détourne pour avancer brusquement, et s'immobilisant de nouveau au premier regard. Dans l'écouteur du téléphone le bruit confus des applaudissements crépite de nouveau, étale pour ainsi dire, comme la moqueuse et paradoxale concrétisation du silence lui-même, l'ironique et bruyante approbation de milliers d'auditeurs invisibles battant des mains longtemps après que la voix de la femme s'est tue. Le visage un peu trop rose, indifférent en apparence aux applaudissements, la moustache dissimulant l'expression de sa bouche, le sénateur range avec soin les papiers étalés devant lui. Jetant toujours des regards inquiets en direction des galeries et du groupe formé autour du jeune interrupteur, le président de séance se penche encore une fois vers chacun des deux membres du bureau assis à ses côtés, puis se redresse, se lève, sa tête cachant maintenant le poitrail du cheval au galop, et prononce quelques mots noyés dans les applaudissements, auxquels se mêlent des huées, des cris hostiles et des protestations, la grosse femme aux cheveux crépus et au nez camard à nouveau debout, un autre délégué à la courte barbe rousse debout lui aussi non loin d'elle, tous les deux criant ensemble ¡ Señor Presidente ! ¡ Señor Presidente !, le président aux pommettes envahies de rouge répétant ¡ La sesión está terminada !, de nouvelles huées s'élevant d'entre les fausses colonnes corinthiennes des galeries réservées au public cependant que l'homme au bouc jaune et la femme crient encore plus fort, les clameurs redoublant tandis que, suivi des autres membres du bureau, le président quitte la tribune, imité par la plupart des délégués dans l'hémicycle qui se lèvent de leurs sièges, rassemblent leurs papiers et descendent les escaliers, s'agglutinant parfois en petits paquets, s'entretenant en jetant de brefs coups d'œil vers la travée où, autour de la femme crépue, du jeune interrupteur et de l'homme à la barbe rousse, un groupe s'est formé, parlant avec véhémence. Des galeries du public tombent encore quelques huées à l'adresse de la tribune maintenant vide, avec ses angelots d'acajou soufflant toujours dans leurs trompettes, ses cariatides aux seins nus et sa corniche de palais Renaissance au-dessous de la charge immobile des cavaliers et des figures allégoriques du Droit, du Travail, de la Vertu et de la Loi. Dans l'écouteur le crépitement ténu, lointain, continue toujours. Il dit encore une fois Allô ? Allô?, restant là, entendant battre là-bas, très loin, les applaudissements moqueurs, sans fin, la main droite crispée sur le combiné, jusqu'à ce qu'il se rende compte qu'à l'extérieur de la cabine deux personnes debout l'une derrière l'autre attendent en le fixant. Il raccroche alors et sort de la cabine. Sur une des deux voies du milieu une rame express traverse de nouveau la station sans s'arrêter dans son fracas métallique de catastrophe, les mêmes bustes de voyageurs aux bras levés et cramponnés aux poignées défilant à toute vitesse, hachés par les poteaux d'acier. Le visage du boxeur n'est qu'une tache ensanglantée et informe où sur un fond rouge sombre le peintre a posé quelques accents vermillon. La tête pendant vers le sol, muet, enfermé dans sa cloche de silence contre laquelle viennent battre les applaudissements et les huées du public invisible dans l'ombre qui entoure le ring, il semble concentrer toutes ses forces et sa volonté dans la poussée de ses bras pour se dégager de la chose grisâtre où il est maintenant enfoui presque jusqu'aux coudes. Le barman au nez écrasé, aux pommettes et aux arcades sourcilières marquées de cicatrices, ramasse rapidement une poignée de glace concassée dans le bac derrière le comptoir, en remplit un shaker dans lequel il verse d'un geste précis un liquide incolore, relevant vivement le goulot de la bouteille, la reposant, en attrapant du même mouvement une autre au contenu doré dont il ajoute la valeur d'un petit verre, la repose à son tour sur le rayon derrière lui, referme le shaker et se met à le secouer à hauteur de son oreille, son regard toujours parfaitement inexpressif fixé droit devant lui, ses membres doués d'une vie pour ainsi dire autonome accomplissant leur travail avec une infaillibilité d'automate sans qu'il paraisse s'y intéresser ni même y prêter attention. Sous les manches de la chemise retroussées jusqu'au coude les avant-bras velus et musculeux sont dérisoirement disproportionnés aux objets qu'ils manient : les bouteilles, le shaker dont il fait couler délicatement le contenu dans les verres vides des deux consommateurs. Au-dehors, dans l'étroite bande horizontale que l'on découvre par la fenêtre, passe et repasse sans fin le défilé des créatures irréelles amputées de leur partie supérieure et réduites à ces compas qui s'ouvrent et se ferment à des cadences plus ou moins rapides, se croisant, se rattrapant, se dépassant. Dans le verre de bière toujours intact les colonnes scintillantes des petites bulles ont cessé de s'élever. Parfois encore, cependant, un point brillant se détache du fond et vient crever à la surface du liquide. Tandis qu'il range son shaker le barman jette un rapide coup d'œil au verre plein d'où le regard de saurien remonte vers le visage de l'homme toujours accoudé devant celui-ci, et se détourne aussitôt. Quoique depuis tout à l'heure elle ait certainement progressé, rien apparemment n'a changé dans le décor qui entoure de toutes parts la colonne d'hommes en armes, comme s'il n'y avait pas au-dessous d'eux la terre et, au-dessus, le ciel, mais partout, uniformément, en bas, en haut, à droite, à gauche, le même fumier végétal à l'intérieur duquel les silhouettes courbées (soit pour offrir une cible moins vulnérable, soit pour se glisser sous les basses branches, soit encore qu'elles fléchissent sous le poids des charges) semblent encastrées. Dans le lointain, les visages des derniers marcheurs ne sont plus que de simples taches blafardes confondues parmi les myriades de pastilles claires des feuilles sur la surface vernie desquelles se réfléchit la lumière, constellant le fond noir. Sur certaines d'entre elles peut-être encore mouillées de rosée ou suintantes d'humidité, le soleil allume des étoiles éblouissantes, aux branches inégales, parmi lesquelles se déplace mollement une tache d'un jaune vif, voletant d'une façon incohérente, s'élevant, s'abaissant, glissant sur le côté, s'élevant de nouveau, comme un léger morceau de papier ballotté par les courants d'un air mou. A la fin elle s'immobilise au premier plan, un peu sur la gauche du chef de la colonne, repart, s'immobilise de nouveau. De part et d'autre du corps mince, les ailes déployées dessinent deux trapèzes aux angles arrondis sur lesquels des cercles noirs aux centres jaunes sont disposés symétriquement par rapport à l'axe central, très larges sur la partie antérieure des ailes et allant diminuant jusqu'à ne former qu'un point à l'extrémité postérieure qui va s'effilant en deux pointes divergentes. Un feston noir en forme d'arceaux légèrement inclinés et eux aussi de taille décroissante borde les deux côtés extérieurs, la dernière branche des deux derniers arceaux s'étirant démesurément en suivant la découpure effilée de l'aile alors toute noire, comme un dard. A l'approche du chef de la colonne le papillon prend de nouveau son essor, volette un moment, indécis, comme ivre, puis disparaît sur la droite hors du rectangle de la photographie. Parfois, sous les pieds des marcheurs qui s'enfoncent avec un bruit spongieux dans l'humus dont le sol est recouvert, quelque branche morte se brise avec un craquement de bois pourri. Invisible dans les feuillages épais un oiseau lance à intervalles réguliers un cri bizarre, en cascade, un peu dément, comme un rire. Aucun des hommes ne parle. On peut seulement entendre le bruit accéléré de leurs souffles, parfois le claquement d'une main écrasant un moustique sur une nuque, un bras. Gorgé de sang le moustique laisse sur la paume une traînée rouge que sans cesser de marcher l'homme essuie machinalement sur la cuisse de son pantalon ou le devant de sa chemise noircie non seulement aux aisselles mais aussi sur la poitrine, le dos, par de larges taches de sueur. Courbés sous leurs charges, sans tourner la tête, les hommes ne cessent de jeter autour d'eux des coups d'œil rapides et inquiets. Comme s'il se déplaçait en même temps que la colonne, sautant d'une branche à l'autre, éclate toujours sporadiquement le rire idiot de l'oiseau. Soit fatigue, soit indifférence, pas un des marcheurs ne lève la tête au grondement lointain d'un avion qui passe très haut dans le ciel. A travers les déchirures des feuillages on ne distingue qu'une mince traînée blanche dont la pointe avance rapidement. D'abord rigide et nette, elle s'élargit peu à peu, se grumelle, s'échenille jusqu'à former un nuage étiré qui stagne longtemps. L'avion lui-même est invisible. A un moment cependant, comme il infléchit légèrement sa course, le soleil étincelle sur la carlingue, le temps d'un éclair, puis s'éteint. Assis les uns derrière les autres dans la cabine les passagers somnolent, sirotent des boissons, regardent par les hublots, feuillettent des magazines illustrés que leur ont distribué les hôtesses ou le dépliant de la Compagnie sur la couverture duquel la jeune femme en uniforme présente un modèle réduit du Jet qui les emporte. A l'intérieur du dépliant, sur deux pages, figure une coupe longitudinale de l'appareil. Pour bien montrer la diversité de la clientèle, le maquettiste s'est efforcé de varier les âges et les types sociaux des voyageurs : on voit par exemple quelques enfants qu'une hôtesse amuse avec des jeux, trois religieuses d'un ordre missionnaire, un couple âgé, quelques militaires, deux jeunes mariés qui se tiennent la main par-dessus l'accoudoir qui sépare leurs sièges et, en première classe, quelques femmes élégantes et des hommes d'affaires compulsant des dossiers posés sur les tablettes parmi des verres de whisky ou de champagne. Dans le but sans doute de faire valoir l'excellence des sièges et leur parfaite adaptation aux corps fatigués, quelques-uns sont représentés en coupe, de façon à montrer les ressorts et les épaisseurs de caoutchouc-mousse de même que l'on peut voir aussi les différents os des occupants — fémurs, bassin, sacrum, colonne vertébrale — épousant avec leurs articulations les profils rembourrés. Les viscères ne sont pas représentés, la masse des chairs habillant les os étant seulement délimitée par un contour empli de hachures. Dans la grisaille uniforme il est donc impossible de situer exactement la place des intestins ou du foie qui peuvent cependant se trouver comprimés par une longue station dans la position assise perturbant leur fonctionnement. Lorsqu'il est asséné avec une certaine force et convenablement dirigé, le crochet au foie est un des coups capables d'amener le K.-O. ou de forcer le boxeur à l'abandon. Il arrive parfois qu'il provoque des lésions graves de l'organe ainsi touché, écrasé contre la colonne vertébrale, quelquefois même un éclatement de la rate. Une perte de conscience, des nausées et des vomissements violents peuvent s'ensuivre. Poussant de toutes ses forces sur ses deux bras, le boxeur parvient tout juste à redresser son buste sans toutefois arriver à décoller sa hanche du tapis enduit de poudre de résine qui recouvre le plancher du ring. Ses cuisses, ses jambes et ses pieds restent prisonniers de la masse incolore dont le niveau s'élève toujours dans la salle d'attente du docteur. Plié en deux, ses bras en étais, légèrement arqué, ses mains serrant convulsivement le rebord de porcelaine de la cuvette, le corps agité de spasmes et de contractions à hauteur de l'estomac, il s'efforce vainement de faire franchir à sa gorge quelque chose qui semble enfoui dans son œsophage comme un pieu, l'étouffant, le déchirant de ses échardes. Mais il ne vient qu'un peu de salive qu'il crache, se tenant là, épuisé, sans pouvoir bouger, incapable même de couper le fil brillant qui pend de ses lèvres et les relie au fond de la cuvette. Quelque part retentit de nouveau le rire idiot de l'oiseau, tantôt lointain, tantôt proche, si près parfois que l'un ou l'autre des hommes de la colonne tressaille en l'entendant. Des bêtes invisibles détalent dans les hautes herbes ou l'eau pourrie des marécages à l'approche de la troupe. Enrichies ou déformées par l'imagination des dessinateurs elles sont d'un aspect fabuleux, de tailles démesurées et d'anatomies composites, mi-partie cheval et dragon, oiseau et reptile, taureau et poisson, leurs corps pourvus d'écailles, de carapaces ou de plumes. Parmi le scintillement des étoiles de différentes grandeurs qui dessinent les constellations, les centaures, les paons aux plumes couvertes d'yeux, les chèvres à queues de dragons, les loups et les aigles, la silhouette du géant se découpe en noir. Les reliefs du corps immense sont figurés au moyen de fines lignes gravées au burin, épousant les bosses des muscles, le modelé des membres, plus ou moins serrées, s'entrecroisant dans les parties les plus sombres, comme les mailles d'un filet. En mordant le cuivre, l'acide a débordé des hachures les plus rapprochées qui se confondent en une tache d'un noir encreux sur les contours de laquelle (les épaules, les bords extérieurs de la cage thoracique, les flancs) les traits en s'espaçant laissent se poser la lumière obscure qui provient de la fenêtre ouverte où s'encadre le ciel nocturne devant lequel se profile la forme agenouillée. Pendant un temps assez long il reste là, dans la même position, fixant le récipient de porcelaine blanche et brillante, respirant l'odeur de désinfectant qui flotte entre les murs de céramique, écoutant le halètement de son souffle qui emplit l'étroit local, encore secoué de temps à autre par des spasmes. Du bar arrivent jusqu'à lui un murmure de voix étouffées et des tintements de verres. Sur le fond ténébreux de la forêt, les reflets aveuglants du soleil frappant les feuilles luisantes continuent à s'allumer, scintiller, s'éteindre et se rallumer un peu plus loin. Debout à l'extérieur de la cabine, appuyé du dos à la paroi de briques vernissées et luttant contre la nausée qui tord son estomac, il regarde la vieille négresse qui lui a succédé glisser à son tour un jeton dans la fente, former un numéro sur le cadran, attendre un moment, puis s'animer soudain. Son nez est chaussé de lunettes aux verres épais et à monture d'écaille. Elle porte un béret tricoté en laine bleu vif, orné d'un pompon vert, un jersey vert, une jupe marron. Les manches courtes du tricot laissent voir des avant-bras aux longs muscles sous la peau sombre et fanée semblable à du crêpe de Chine marron. Provenant du bar il peut maintenant percevoir de grands éclats de rire. Brusquement une nouvelle série de spasmes le plie en avant. Les taches, les points lumineux et éblouissants explosent avec violence, disparaissent, explosent de nouveau sur les feuilles vernies, métalliques. Incapable de bouger, assourdi par le mugissement du sang qui bat dans ses oreilles et se raccrochant aux bords de la cuvette, il attend que ralentissent par degrés les battements de son cœur et le rythme de sa respiration. Ses côtes se soulèvent et s'abaissent rapidement. De face, la petite figurine que tient le Professeur représente un homme maigre au crâne rasé, au visage émacié, et dont les vêtements rabattus autour de la taille dénudent le buste osseux. Le Professeur tient la statuette entre le pouce et l'annulaire. Entre l'index et le majeur de la même main est fiché un cigare à demi entamé. Le Professeur dit ¿ Ha visto jamás un aparato parecido? ¡ Mire ! D'un geste brusque de la main il fait faire un tour complet à la statuette, la présentant cette fois de dos. Au-dessous du crâne rasé et de la nuque décharnée où un profond sillon se creuse entre les deux tendons, la peau a été comme découpée et retirée, laissant à nu la colonne vertébrale et la cage formée par les côtes, barbouillées de peinture rouge, comme du sang. Toujours cramponné aux rebords de la cuvette il sent la sueur ruisseler sur son front, ses tempes, son crâne et son dos. Devant ses yeux les points lumineux continuent à tournoyer, s'allumer et s'éteindre. Le souffle de la femme se fait plus rapide. Il semble qu'une faible lumière émane des fesses saillant de l'ombre, des hanches au-delà desquelles la pente du dos s'enfonce peu à peu dans l'obscurité confuse où l'on distingue la masse noire des cheveux répandus, le profil lisse de la joue, le nez, la bouche à demi écrasés sur le drap dans l'anse formée par les bras repliés de part et d'autre de la tête. Les cuisses claires, vaguement phosphorescentes, sont écartées, dans un plan à peu près vertical, les tibias et les cous-de-pied à plat sur le lit, les plantes des pieds striées en biais de plis souples. A genoux lui aussi et prenant appui sur les fesses, il peut voir lorsqu'il se recule son membre tout entier tendu à l'horizontale, luisant dans la pénombre, en forme de fuseau où l'obscur reflet de la nuit serpente sur le trajet sinueux d'une veine, et projetant en avant le gland découvert, gonflé, brillant, pourpre noir dans le noir. Au tapage assourdissant de sa respiration se mêle de plus en plus fort le halètement étouffé de l'autre souffle. Le cylindre gris et feuilleté que forme la cendre dessine maintenant un léger angle avec le corps plus court du cigare. Le Professeur dit ¡ Mira ! Par un ingénieux système d'articulation le bras droit de la statuette pivote à partir de l'épaule et envoie sur le dos et les côtes sanguinolentes les lanières d'un martinet dont la main du flagellant enserre le manche. A l'intérieur du buste, derrière les barreaux parallèles des côtes, on peut voir un petit cœur rouge, monté comme une rose sur un mince fil de fer, pareil à un oiseau dans une cage. Un petit homme au visage et aux vêtements fripés attend son tour, debout devant la porte de la cabine, une serviette de cuir déformée et usée pendant au bout de son bras. SOMEBODY IS ALWAYS WIN-NING. Une nouvelle rame de métro gronde dans le tunnel, pénètre avec fracas dans la station, file le long du quai, ralentit et s'immobilise. Des voyageurs descendent rapidement par les portières ouvertes et se dirigent vers la sortie. Les silhouettes pressées, anonymes et grises, sans plus de réalité que les corps remplis de hachures des voyageurs de l'avion, passent de nouveau devant le visage du caissier emprisonné, l'invite en espagnol de la mission catholique et les deux vieillards enlacés gagnants de la loterie. La vieille négresse lance un dernier mot dans le combiné qu'elle raccroche et, jaillissant de la cabine, file vers le wagon le plus proche. Elle marche à grandes enjambées, lançant ses longs pieds aux pointes en dehors, comme un échassier. Le métro repart. Dans le silence retrouvé, seulement troublé de grondements sourds comme ceux de lointaines catastrophes souterraines, les lèvres du petit homme enfermé maintenant dans la cabine remuent sans bruit. La cendre du cigare est tombée sur le tapis. Le Professeur dit ¿ Quiere otre café ? Entre le majeur et l'index le cigare est réduit à un court cylindre. De sa main gauche, il atteint le verre de cognac posé sur la table à côté de lui, en boit une gorgée, le repose, puis, les yeux malicieux derrière ses lunettes, recommence à imprimer le mouvement de va-et-vient au bras armé du fouet dont les lanières

viennent frapper les côtes ensanglantées. ¡ Mire ! dit-il
¡ Mire ! ¡ Ha ha ha ! ¡ Qué invención ! ¡ Ha ha ha !
¡ Qué locos ! A présent les lumières ne sont plus que
des têtes d'épingle, tournoyant toujours, aveuglantes
et multicolores, sur un fond marron. Dans un mouvement de va-et-vient d'avant en arrière de plus en
plus rapide son ventre vient heurter la forme blanche
au-dessous de lui. Au fond de l'ombre, en bas, il
peut voir luire l'éclat des dents qui mordent le poignet
mince. Les muscles de son ventre se contractent
encore dans un spasme qui cette fois le projette
presque à genoux sur le carrelage de faïence. Écrasée
sur le drap en désordre la bouche laisse échapper des
sons indistincts, mouillés. Le combiné d'ébonite est
tiède et humide, non seulement dans la paume moite
qui l'enserre, mais comme si la plaque percée de
petits trous conservait encore la chaleur et les souffles
de la négresse et du petit homme. Il introduit une
pièce, compose le même numéro, entend la sonnerie,
puis le déclic, puis la même voix lointaine de femme
qui dit Oui ? Il se tait. La femme dit de nouveau
Oui ? Il dit très vite C'est moi. Écoute. Je... Puis
encore une fois il reste là, attendant, épiant la respiration plus rapide à l'autre bout du fil, le halètement
ténu, incrédible, qui lui parvient à travers le dédale
souterrain des cables, des relais, des tunnels par-
dessous les millions de tonnes de pierres, de fer et
de briques entassant là-haut leurs centaines d'étages
percés de milliers de fenêtres, leurs sommets invisibles

disparaissant dans la brume blanchâtre de chaleur, puis la voix qui dit Ce doit être une erreur. Pourtant elle ne raccroche pas et, un moment, ils se tiennent de nouveau là tous deux, respirant, s'écoutant respirer, une rame express traversant la station, le bruit de catastrophe furieux, démentiel, envahissant la cabine, puis cessant, coupé net, jusqu'à ce qu'elle dise : Je vous dis que c'est une erreur, et raccroche. La sueur qui coule sur son corps forme une pellicule glacée. Annonciateur de l'aube peut-être, un léger souffle d'air frais pénètre par la fenêtre ouverte. La lumière grise et laiteuse joue sur les draps froissés où les plis décrivent des lignes sinueuses qui se rapprochent, se confondent, s'écartent, comme des chaînes de montagnes ou les bras multiples d'un delta vu d'avion. À la fin il parvient tout de même à se redresser. Debout sur ses jambes molles, face au visage décoloré que lui renvoie la glace, il essuie de son mouchoir à ses lèvres une bave d'un jaune verdâtre, puis roule soigneusement son mouchoir en boule et le fourre dans sa poche. Il pousse le loquet, ouvre la porte, suit le couloir et rentre dans le bar, pénétrant de nouveau dans l'ombre épaisse couleur acajou qui contraste avec l'éclairage cru des toilettes, ses yeux déshabitués ne distinguant que vaguement les formes des consommateurs et la tache blanche de la chemise du barman dont le regard terne fixé sur lui se détourne aussitôt. Il atteint son tabouret sur lequel il se hisse péniblement devant le verre de bière toujours intact.

Depuis un moment la mer de nuages s'est peu à peu boursouflée, creusée de dépressions qui s'élargissent, se déchirent, s'ouvrent sur des précipices en même temps que les bosses s'enflent, s'étagent en champignons gigantesques faits de dômes superposés, nettement sculptés, leurs sommets d'un éclat parfois insoutenable, tandis qu'ailleurs leurs flancs s'estompent, se fondent en voiles grisâtres, imprécis, qui s'épaississent jusqu'à des ténèbres aux reflets couleur de soufre et où les rayons du soleil enfoncent çà et là des bandes plates, légèrement divergentes et comme poussiéreuses. Tout en bas on entrevoit parfois le tapis presque noir de la forêt où des plaques déchiquetées étincellent avec l'éclat du bronze. Entassées les unes sur les autres, les outres jaunâtres, grises ou obscures s'élèvent à des hauteurs prodigieuses, proliférant, se rejoignant, formant parfois des voûtes sous lesquelles l'avion poursuit sa course rectiligne : un point dans le chaos où se mêlent des lambeaux de ciel, des vapeurs, de sombres végétations et des coulées de métal liquide. Malgré la climatisation de la cabine le soleil qui par instants pénètre par les hublots pèse en brûlant à travers les vêtements ou sur la peau. Tirant sa montre il regarde stupidement la position des aiguilles sur le cadran, s'efforçant de se rappeler le compte des fuseaux horaires, se trompant, recommençant, regardant au-dehors, au-dessus, en dessous, l'entassement des formes chaotiques avec ses abîmes, ses gorges, ses piliers annelés qui défilent lentement,

s'effacent, resurgissent, formidables, dans un tumulte
figé, puis de nouveau les aiguilles sans signification,
puis d'autres précipices, d'autres murailles, d'autres
trous noirs où s'enfoncent les sabres dorés. A la fin
il renonce, remet sa montre dans sa poche en même
temps qu'il entend sa propre voix sortir de lui,
éraillée d'abord, entrecoupée par les raclements de sa
gorge, puis se raffermissant, disant à l'hôtesse penchée
vers lui Est-ce que je pourrais avoir un verre d'eau ?
Le barman en manches de chemise jette un coup
d'œil au verre de bière toujours plein, le dévisage, et
dit Quoi? Il répète alors Un verre d'eau. Pourrais-je
avoir... La cravate aux tons criards avec sa barrette
ornée de petits gants de boxe glisse, disparaît de son
champ de vision, remplacée par la tache claire du dos
de la chemise qui le moment d'après pivote brusquement, le déplaisant coloriage réapparaissant tandis que
l'énorme main aux doigts velus pose sur le comptoir
à côté du verre de bière intact un autre verre rempli
d'eau et dont une buée grise déjà les parois. Il dit
Merci. Il sent descendre l'une après l'autre dans sa
poitrine les petites gorgées glacées qu'il espace pru-
demment. L'hôtesse en uniforme bleu sombre est
penchée de nouveau vers lui, un paquet de magazines
au creux de son bras gauche. Il prend machinalement
la revue qu'elle lui tend et se met à tourner les pages
où sourient de toutes leurs dents les jolies filles en
maillot de bain, les ménagères brandissant des casseroles étincelantes et les champions automobiles. A

chacun des battements de ses paupières rougies par le manque de sommeil il éprouve une sensation de brûlure. LE GUIDE LEVA LES BRAS ET TOMBA A LA RENVERSE IL AVAIT UNE FLÈCHE EN PLEIN CŒUR. Sur une double page s'étale une photographie dont le côté gauche est occupé dans toute sa hauteur par une grande palme qui pend verticalement. Brillantes et striées de nervures longitudinales, ses feuilles réparties symétriquement de part et d'autre de la tige se détachent en clair sur le fond noir. D'autres feuilles, rondes et larges, un peu semblables à celles d'un noisetier, emplissent le triangle que délimitent la palme et le tronc d'un jeune arbre qui jaillit en oblique du bas de la photographie. D'autres encore, longues, rigides, lisses et pointues, comme des sabres, se déploient en éventail dans le coin inférieur droit, apparaissant et disparaissant à travers les taches floues et claires des feuillages que projette au premier plan la végétation touffue d'où sortent deux bras, l'un tendu en avant, la main serrée sur le bois d'un arc, l'autre à demi replié, tenant entre le pouce et l'index la corde tendue où s'appuie l'extrémité d'une longue flèche qui coupe horizontalement en deux la photographie d'un trait clair. Entre les longues lames du faisceau de feuilles rigides on distingue un profil (menton, bouche à la lèvre supérieure proéminente, comme enflée, nez) dont les yeux et le front sont cachés par une touffe de cheveux noirs retombant en désordre. Jusqu'à la rivière, le danger subsistait. Invisibles dans les arbres les indigènes guettaient avec leurs flèches empoisonnées. Eux-mêmes, dit-on, sont invulnérables au poison. La forêt recouvre 300 millions d'hectares et représente à elle seule le quart des forêts du monde. Les arbres y ont parfois 80 mètres de haut, les feuilles 2 mètres de large, et les bambous y poussent de 30 centimètres par jour. Impossible d'y cheminer sans rencontrer d'inextricables embûches. Les hommes qui la parcourent ont bientôt le corps recouvert de centaines d'éraflures suspectes et de boutons. Aux piqûres d'insectes s'ajoutent les brûlures et les cloques laissées par le contact de feuilles ou d'herbes vésicantes. Enfoncés parfois jusqu'au ventre dans l'eau boueuse des marécages, les hommes sont obligés de tenir leurs armes au-dessus de leurs têtes pour les préserver. L'humidité est d'ailleurs telle qu'en dépit de toutes les précautions les aciers des cuirasses, les casques, les canons des arquebuses se tachent de rouille. Depuis longtemps on a été obligé d'abandonner les couleuvrines débarquées des vaisseaux, et, sur les dos des mulets qui servaient à leur transport, sont maintenant hissés les hommes les moins valides et les blessés dont le buste voûté oscille à chaque pas de leurs montures. Tête basse, le menton sur la poitrine, se laissant aller aux secousses, appuyant leurs mains réunies, comme si elles étaient liées, sur le pommeau de la selle, ils ressemblent à des condamnés que l'on conduit au lieu de leur exécution. 500 hommes armés de mousquets et d'épées, portant l'armure et possédant 15 chevaux et 6 canons, combattirent, bravant les flèches et la fronde des Indiens, pour s'avancer pas à pas dans ce territoire inconnu. Sans doute les chevaux se sont-ils révélés insuffisamment robustes, incapables de s'acclimater ou de résister aux conditions de la marche et ont-ils dû être abattus, car les officiers eux-mêmes chevauchent des mulets. En dépit de leur posture vaguement comique (démesurément longues par rapport à la taille des bêtes, leurs jambes pendent de part et d'autre des flancs maigres, les pieds touchant presque le sol), en dépit aussi de leurs tenues souillées et déchirées comme celles de leurs soldats, quelque chose dans leur attitude, leur port de tête, leur maintien, leurs bustes droits, les distingue des autres cavaliers affaissés sur leurs selles. Celui qui ouvre la marche porte une courte barbe rousse, dure, qui le fait ressembler aux portraits de Charles Quint. Elle flamboie entre les reflets de la cuirasse et du casque qu'il persiste à porter en dépit de la chaleur. La visière du casque au cimier en ogive cache les oreilles et se relève au-dessus du front, formant une pointe. Aux talons des longues bottes à cuissards qui se balancent au rythme du pas de la mule sont fixés les éperons inutiles dont la rouille a bloqué les molettes aux longues pointes étoilées. Dérangé par les sabots de la mule, un essaim de petits papillons d'un bleu lavande s'élève et volette, montant et descendant, tourbillonnant devant le fond noir de la végétation. Leurs taches dansantes forment, défont et reforment de mouvantes constellations. A les suivre l'œil ne perçoit plus qu'un étourdissant chassé-croisé de points lumineux. A mesure qu'elle descend en lui l'eau fraîche semble constituer peu à peu comme un axe solide autour duquel son torse et ses membres reprennent leur place. Réadapté à la pénombre du bar, il s'aperçoit que trois nouveaux consommateurs se sont installés au comptoir pendant son absence. En se penchant un peu en avant il peut voir leurs trois profils alignés à l'identique expression de placidité, aux traits épais, les trois têtes légèrement rentrées dans les épaules puissantes devant les trois identiques verres de bière déjà aux trois quarts vides, l'air de conducteurs de poids lourds ou de ces ouvriers que l'on voit évoluer, coiffés d'un casque jaune, sur les poutrelles d'acier de gratte-ciel en construction. Deux d'entre eux sont en manches de chemise. Le plus proche de lui porte un gilet de tricot bleu orné sur le devant de deux bandes jaunes. Les principaux habitants de la forêt tropicale sont les oiseaux : de l'oiseau cloche qui, imitant le bruit d'une cloche, rend l'homme égaré fou, à l'uruparu qui possède le plus beau chant du monde. Le vrai danger de la forêt, ce sont les insectes et la solitude. En se penchant un peu en avant il peut voir les profils alignés des délégués assis le long de l'immense table recouverte d'un tapis vert. Tout au bout de la table siège le successeur du président qui arbitrait le débat à la

Chambre des députés. C'est un homme plus âgé, à la tête comme aplatie entre son abondante chevelure noire, elle aussi aplatie, et la moustache noire qui cache la bouche. Au bout de leurs tiges flexibles et courbées des microphones sont disposés sur la table, un pour trois délégués environ, ceux qui prennent la parole attirant tour à tour vers eux le plus proche. La longue table est disposée dans une salle toute en longueur elle aussi, aux murs recouverts d'une peinture crème et percés de baies arrondies entre de fausses colonnes ioniques aux fûts plats et cannelés. Les baies sont obstruées par des rideaux de velours marron et l'éclairage électrique est allumé en permanence. Il règne dans la salle une chaleur étouffante. De l'autre côté de la table une autre rangée de délégués fait face à la première. La perspective fait converger les deux alignements parallèles de bustes jusqu'à se rencontrer presque à l'extrémité de l'immense table, où dépassent seulement la tête et les épaules du du président, comme ces bustes élevés à la mémoire d'hommes illustres, pourvus d'un faux col, d'une cravate et d'une veste de bronze aux bras coupés. De temps à autre cependant sa main claire émerge de sous la table pour tourner un feuillet du document qu'il est en train de lire, puis disparaît à nouveau. Les délégués suivent la lecture sur les doubles ronéotés qui se trouvent devant eux. Parfois l'un d'eux se penche et écrit quelque chose dans la marge à côté du passage que vient de lire le président. La page est divisée en rectangles et en carrés violemment coloriés. Chacune des cases est occupée par la photographie d'un oiseau au plumage et aux formes bizarres sur un fond de feuillages. Perroquet crieur. Aracari « grigri », ainsi surnommé à cause de son cri. Le perroquet se tient de face, ses serres refermées sur une branche, la tête tournée vers la gauche, de sorte que l'on peut voir son bec en forme de pince de homard, couleur chair, la large tache couleur chair également qui entoure son œil elle-même entourée de courtes plumes d'un brun rouge. Sur le devant de son ventre et sur sa queue jouent des reflets rouge vif et bleu, ses ailes repliées sont vert olive. L'aracari est pourvu d'un long bec blanc légèrement recourbé, son petit œil noir est entouré d'une tache bleue, sa tête et son cou sont noirs, son ventre jaune vif rayé horizontalement de bandes rouges, ses ailes et sa queue gris vert. Par intervalles, toujours invisible dans les hauts feuillages, l'oiseau rieur s'esclaffe bruyamment. La main de poupée du petit président surgit de sous la table et tourne un nouveau feuillet du document dont il donne lecture. La plupart des délégués l'imitent et tout le long de la table court un léger bruit de papier, comme des battements d'ailes. Párrafo cuatro, lit le président : El escritor se define políticamente por su participación activa a la lucha revolucionaria también en sus palabras, sus escritos y sus actos. Le traducteur se penche de côté et chuchote : L'écrivain se définit politiquement par sa participation active à la lutte révolutionnaire, que ce soit par ses paroles, ses écrits ou ses actes. Les chevilles entravées par son pantalon dégrafé il s'avance vers la table d'examen avec difficulté, comme un peu plus tôt la femme aux jambes enflées progressant péniblement dans les grumeaux grisâtres accumulés sur le tapis du salon d'attente. Pendant le temps où il est resté seul leur niveau n'a cessé de s'élever, de sorte qu'en refermant la porte du cabinet de consultation le docteur a dû s'arc-bouter sur le battant pour repousser le front avancé de l'avalanche parvenu jusque-là. Toutefois il n'a pu empêcher quelques-uns des grumeaux de rouler dans son bureau. Contrastant avec ses efforts pour refermer la porte, le visage, les yeux derrière les lunettes cerclées d'or, sont restés impassibles et inexpressifs, comme s'il ne s'était rendu compte de rien, de même que pendant l'interrogatoire préliminaire il n'a pas paru s'apercevoir que la chose grisâtre se glissait insidieusement par l'interstice sous le panneau refermé et commençait à se répandre dans la pièce, l'air seulement un peu impatienté maintenant tandis qu'il regarde le malade se diriger vers l'étroite table de fer de la démarche maladroite d'un homme obligé à chaque pas de vaincre la résistance de l'eau d'un marécage ou d'une végétation touffue. Peu à peu les intervalles entre les éléments de la troupe armée qui progresse dans la forêt tropicale se creusent et la colonne s'étire démesurément, au point que le chef à la barbe jaune est souvent obligé de s'arrêter, se retournant sur sa mule, pensif, les sourcils froncés, envoyant quelques-uns des soldats les plus valides protéger à l'arrière le groupe des blessés pour lesquels on n'a pu trouver de monture et qui, progressant à pied, appuyés sur des béquilles improvisées ou s'aidant les uns les autres, se trouvent considérablement attardés. Il ne subsiste plus grand-chose des uniformes bariolés, des culottes bouffantes à crevés, des justaucorps rayés de bleu et de jaune. Les manches pendent en lambeaux sur les bras à la peau brûlée par le soleil, gonflée de cloques par les piqûres d'insectes, les visages tannés et amaigris ne se distinguent de ceux des porteurs indigènes que par la barbe qui ronge leurs joues. A mesure que passent les jours, les vestiges lacérés des éclatantes tenues semblent prendre les teintes mêmes de la forêt et les pastilles de soleil qui tombent par les interstices du plafond végétal jouent indifféremment sur elles et les feuilles parmi lesquelles elles se confondent. A intervalles à peu près réguliers le bois du comptoir retentit d'un son creux sous le choc d'un poing qui s'abat. Chacun à son tour, l'un des trois gros-bras accoudés devant les verres de bière que le barman renouvelle lorsqu'ils sont vides fouille dans une de ses poches, en ressort sa main fermée sur quelques pièces de monnaie et frappe de ses phalanges repliées le plateau de chêne. L'un après l'autre ses compagnons disent un chiffre et la main s'ouvre. Celui qui a avancé le chiffre le plus proche du nombre des pièces de monnaie contenues dans le poing gagne la partie. Le perdant jette une pièce de dix cents dans la soucoupe posée entre leurs verres. Les visages épais sont sans expression. Maintenant il est obligé de se pencher en avant pour voir l'orateur auquel le président a donné la parole après avoir terminé la lecture du projet de résolution soumis aux délégués. Incliné vers le microphone, son profil massif saille en avant de la rangée des têtes qui s'alignent du même côté de la table jusqu'au petit président. Les cheveux rejetés et plaqués en arrière, le nez droit, le menton légèrement empâté, il ressemble à l'un de ces bustes de sénateurs romains dont il paraît, à travers les proconsuls d'Ibérie et les générations de gouverneurs espagnols, avoir hérité la solennelle et pesante majesté. Il parle lentement d'une voix grave et basse, articulant avec soin, un castillan rocailleux. Antes que nada (Avant tout, chuchote l'interprète), creo que es absolutamente indispensable examinar (je crois qu'il est absolument indispensable d'examiner) este problema fundamental (ce problème fondamental) de la función social del escritor (de la fonction sociale de l'écrivain) que es el objeto del párrafo cuatro (qui fait l'objet du paragraphe quatre) del proyecto de Declaración Final que nos fué leido por el Señor Presidente (du projet de déclaration finale dont monsieur le président nous a donné lecture). La primera y principal objeción que formularía (La première et principale objection que je formulerai), personalmente y en nombre de varios de mis compañeros (personnellement et au nom de plusieurs de mes camarades), es que (c'est que)... Le choc du poing fermé, le son des voix énonçant les chiffres et le tintement argentin des pièces lancées dans la soucoupe se succèdent avec monotonie. Appuyé des reins contre la partie inférieure de l'étagère qui supporte les bouteilles, le barman contemple les joueurs sans les voir. Parfois l'un d'eux laisse échapper une brève exclamation de triomphe ou de dépit. Les deux buveurs de cocktails sont partis. Le consommateur en salopette suit le jeu d'un œil noyé. De temps en temps, sans détourner son regard, il lève simplement un doigt. Le barman lui renouvelle alors son verre, se sert dans le tas de billets et de pièces que le buveur laisse empilés à côté sur le comptoir, rapporte la monnaie et, reprenant sa position, fixe de nouveau de ses yeux de saurien les mains des trois poids lourds apparaissant et disparaissant. Ce petit oiseau au plumage terne ne craint pas, comme le montre la photographie, de se poser sur la tête des caïmans, qui tolèrent sa présence, le laissent même complaisamment pénétrer à l'intérieur de leur gueule ouverte dont il nettoie les dents en les débarrassant des filaments de viande pourrie accrochés dans leurs interstices. Dans un autre rectangle est représenté un autre oiseau d'un bel orangé, au petit œil noir, pas plus gros qu'une tête d'épingle, entouré d'un disque d'un rose vif. Sa tête est surmontée d'une haute crête orange, arrondie comme le cimier d'un casque, et dont la courbe saillante revient en arrière pour se terminer à la naissance du bec court, jaune citron. On compte environ deux cents espèces à l'hectare : côte à côte des arbres aussi différents que l'hévéa, le palmier, le noyer, le manguier, le bananier, le calebassier... Tout de suite l'énumération se décourage car elle ne signifie plus rien : dans la pantomime géante des ramures, l'éblouissante pyrotechnie des feuillages et la calligraphie des lianes, soudain le jaillissement des troncs en colonnes... Interrompant la lecture du magazine il relève les yeux. Dans le mouvement qu'il fait il peut sentir la peau de son visage se craqueler sous le masque de fatigue et d'insomnie, les coupures brûlantes des rides qui le sillonnent. Il dit Oui, prend le verre vide qu'il a calé dans le rebord élastique de la pochette fixée au dossier du siège devant lui et le met dans la main tendue de l'hôtesse qui le range avec d'autres verres vides sur le plateau qu'elle tient. Soudain le jaillissement des troncs en colonnes plus lisses que le marbre, des ombelles immenses au cercle parfait, des gerbes de feuilles en forme de poignards qu'enlacent... Quoiqu'il ait repris son immobilité, il peut toujours sentir sur sa peau les craquelures brûlantes. Le vieux roi au visage couvert de rides regarde à travers la fente d'un rideau le couple d'amants enlacés. Son front, ses paupières, ses joues, ses lèvres, sont couturés d'une infinité de sillons entrecroisés, comme des cicatrices. Sous le sourcil épais, l'œil agrandi, rond, contemple avec une expression de paisible désolation l'amas confus de membres emmêlés. Des ombelles immenses, de géants éventails immobiles, des soleils d'épines, des lames de poignards plus longs et plus acérés que des fleurets qu'enlacent. Dépassant du camail bordé de fourrure qui recouvre les épaules frileuses du vieillard, les bras reposent sur les accoudoirs de son trône dont les mains ridées enserrent les extrémités. Les corps lisses des jeunes amants sont animés d'ondulations tantôt lentes, tantôt précipitées, ou se heurtent parfois dans de violents soubresauts. Poignards qu'enlacent des guirlandes de fleurs délicates, diaprées comme des arcs-en-ciel. Souvent le piquant, le rébarbatif à l'œil n'est qu'une plante grasse inoffensive et fragile; mais la fleur la plus charmante, la plus engageante, vous laisse au doigt une brûlure qui mettra des heures à s'apaiser. Rien de plus faux que cette image, accréditée par tant de faux explorateurs, d'une forêt vierge hérissée de crocs et de griffes tout prêts à tailler en pièces le voyageur égaré. Le vrai danger. La brûlure que provoque chaque battement de ses paupières se fait de plus en plus forte, comme si d'impalpables grains de sable déchiraient la cornée. La peau tout entière de son visage est en feu. Il lui semble étouffer sous un de ces masques de carnaval aux traits grimaçants, aux bouffissures grotesques, dont il croit sentir l'intérieur de carton rigide au contact rêche. Gravé au burin dans le cuivre, le trait acéré s'infléchit et se gonfle tour à tour, suivant les contours des membres, des seins, et des torses imbriqués. Sans interrompre sa course ni se relever, la pointe d'acier conduite d'une main souple enferme les formes mouvantes d'une créature à deux têtes, vaguement fabuleuse, pourvue de bras et de jambes multiples. Comme ces fragments de puzzles aux découpures sinueuses, les deux profils aux yeux agrandis s'emboîtent étroitement dans un baiser, les saillies de l'un et les creux de l'autre seulement séparés par les souples méandres de la ligne unique qui épouse tour à tour leurs nez, leurs bouches et leurs mentons encastrés. Au bout d'un moment cependant, dans le dessin qui se déforme et se reforme au gré des mouvements ou des secousses de l'étreinte, il devient possible de distinguer les éléments particuliers de chacun des deux corps. Le page est couché, les jambes écartées. Sur son ventre et sa poitrine reposent les reins et le dos de la jeune femme qui, le bras droit passé sous le bras droit du page, l'enlaçant, la main droite se refermant sur l'épaule de celui-ci, joint ses lèvres aux siennes par une torsion du buste et de son cou renflé, cependant que, poussant ses fesses en sens inverse, elle accueille en elle le membre raidi qui la pénètre légèrement en biais. Peu à peu les colonnes et les entassements de nuages diminuent de hauteur. Quoique toujours d'une taille monumentale, ceux-ci laissent voir maintenant dans leurs trouées, en plaques de plus en plus vastes, le moutonnement uniforme et vert sombre de la forêt. Le vrai danger dans cet enfer vert, c'est la solitude :

cette déréliction totale de l'homme au milieu d'un univers où les plus anciens cauchemars du monde et les délires les plus fiévreux sont soudain. Lorsque, abandonnant la page du magazine, il regarde par le hublot dont le soleil frappe l'encadrement, il est obligé de cligner des paupières pour se protéger contre l'agression douloureuse de la lumière. Pendant un moment il se tient immobile, un peu ahuri, les yeux presque fermés, dans la lumière, la chaleur et le bruit qui l'assaillent avec violence dès qu'il a franchi le rideau de velours qui ferme la porte du bar, debout maintenant sur le trottoir, au sein de l'univers décoloré où, aux pieds des hautes falaises de pierre, la même foule, ou plutôt la même plinthe faite d'un confus grouillement de pastilles multicolores à la fois constamment renouvelé et pareil, semble stagner sans que rien dans sa densité ou son animation n'indique une quelconque modification consécutive au temps écoulé. D'un gris pâle qui se nuance à peine de brique, de brun ou de crème selon les matériaux dont elles sont faites, les murailles vertigineuses et plates, dont aucune saillie ni balcon ne rompt les plans géométriques, s'élèvent dans la brume éblouissante où les sommets des plus hautes s'estompent et disparaissent. S'occultant et se démasquant tour à tour, les formes allongées des autos, où dominent les taches jaunes des taxis, glissent et s'entrecroisent sur le fond bariolé de la foule. Immobile, le vieux roi triste, impotent et solitaire contemple toujours de son œil chassieux le pieu noueux enfoncé dans l'écartement des cuisses où l'engloutissent les lèvres gonflées et d'une pâle couleur lilas de la bouche verticale ouverte parmi la moiteur des crins ébouriffés. La forme cylindrique du membre masculin est rendue au moyen de petits traits courbes qui épousent sa rondeur. D'autres traits courts et courbes suggèrent à la fois le volume et les plis des lourds testicules qui pendent à la base du membre. Suivant la ligne du périnée, deux rangées de poils follets se clairsèment peu à peu à partir de la vulve jusqu'au minuscule trou sombre figuré par un point autour duquel de petits plis répartis en étoile et des festons dessinent comme les pétales d'une fleur bistre. Sous les fesses offertes de la femme et les jambes du page, les plis du drap froissé sont figurés par une série de longs traits divergents, s'écartant en divers sens, tantôt serrés, tantôt largement espacés. Rien dans le dessin (c'est-à-dire aucun décor : rebord du lit, angle d'un mur, plafond) n'indique de façon concrète qu'il s'agisse d'une scène réaliste (comme par exemple l'illustration d'un épisode biblique, le bain de Bethsabée ou Suzanne surprise par les vieillards), non plus d'ailleurs que la représentation d'un simple fantasme. Toutefois, le fait que le vieux monarque figuré au premier plan et dont le profil empiète sur l'un des bras de la jeune femme soit dessiné à une échelle plus petite que le couple situé à l'arrière-plan donne à penser que, plutôt qu'un tissu de velours ou de soie, les lignes souples qu'il écarte pour épier l'étreinte des jeunes amants figurent l'écran même du temps. En replaçant l'homme dans son état de solitude fondamentale, la forêt tropicale nous rappelle que l'enfer c'est cette lente folie qui s'empare de l'esprit et le dissout dans la grande folie de la nature. D'énormes papillons volettent toujours, lumineux et éclatants sur le fond sombre des feuillages, tigrés, veloutés, décorés de prunelles, d'incendies, de flammes rouges et jaunes. Parfois l'un d'eux se pose sur le visage ruisselant de l'un des blessés transportés à dos de mule dans des cacolets et y reste posé parmi les mouches au corselet mordoré ou vert jusqu'à ce que l'en chasse la main d'un camarade plus valide qui marche à côté. Les chatoyants pourpoints des arquebusiers, leurs culottes bouffantes à crevés ou les tenues de camouflage aux taches brunes, ocre et olive sont maintenant tout à fait en loques. Dénudé jusqu'à la taille le page amoureux a cependant conservé son pourpoint de velours aux manches à gigots et sa toque ornée d'une plume. Surpris peut-être dans son sommeil un grand oiseau au plumage rose s'envole brusquement d'un fourré dans un bruyant froissement d'ailes accompagné d'un cri strident de colère ou de frayeur. Ses pattes rabattues sous son ventre, le cou tendu en avant, il s'élève à tire-d'ailes. Les longues plumes de sa queue ondulent derrière lui. Durement secoué par le pas heurté de la mule, le blessé aperçoit confusément à travers les fentes purulentes de ses paupières où les mouches se sont de nouveau agglutinées la tache aux vives couleurs qui traverse rapidement son champ visuel devant la voûte des feuillages entre lesquels, dans le ciel pâle, stagne encore la traînée blanche et rectiligne laissée par l'avion et qui s'échenille lentement, se fractionne en petits flocons. Poussant leur chariot dans l'allée centrale les hôtesses distribuent aux passagers des plateaux où sont préparées de légères collations. Il fait non de la tête et reprend la lecture du magazine. Les arbres forment une véritable falaise végétale, abrupte et opaque. L'un des guides nommé Pablo Garcia veut s'approcher pour y jeter un coup d'œil. Soudain il lève les bras comme s'il allait parler. Mais il tombe à la renverse sans un mot, frappé en plein cœur. C'est le début de l'attaque. A travers les paupières bridées d'Orlando, les yeux ne sont plus qu'un fil noir, brûlant de fièvre et de terreur. Tout à coup, du mur de feuillages, des éclairs se mettent à jaillir de toutes parts : des armes à feu. Le premier qui tombe sous la salve est Torilino Meza, notre deuxième guide. Il avait voulu se porter au secours de son compagnon. Deux autres de nos hommes sont blessés. En se traînant ils se replient vers le gros de la colonne tandis que nous les protégeons de notre feu. Il y a alors un moment d'accalmie seulement troublé par le cliquetis des armes qu'on réarme. Dans le silence la voix de basse de l'orateur à tête de proconsul articule lentement les mots, légèrement déformée par la tonalité métallique de l'amplificateur qui grésille. Es por eso (C'est pourquoi, chuchote l'interprète) que propongo para el párrafo cuatro (je propose pour le paragraphe quatre) la siguiente redacción (la rédaction suivante) : el escritor se define politicamente (l'écrivain se définit politiquement) por su participación activa, tanto espiritual como física, a la lucha revolucionaria (par sa participation active, tant spirituelle que physique, à la lutte révolutionnaire). Un léger brouhaha court le long des deux rangées de bustes de part et d'autre de la table verte. Deux ou trois délégués élèvent la main en essayant d'attirer l'attention du président. Dans un geste impérieux, le proconsul étend le bras devant lui, la paume verticale : ¡ Una última palabra si me lo permiten, nada más que una palabra ! (Un dernier mot, si vous permettez, rien qu'un mot !) Le président fait un signe d'acquiescement. Le proconsul se penche à nouveau vers le micro : Me parece necesario agregar simplemente esto (Il me paraît nécessaire d'ajouter simplement ceci) : yo creo que nosotros que estamos aquí reunidos (je pense que nous qui sommes réunis ici) no tenemos de ninguna manera que tomar en cuenta (n'avons en quoi que ce soit à tenir compte) la opinión de los cínicos, de los hastiados o de los « blasés » (de l'opinion des cyniques, des fatigués ou des blasés), ni la de los intelectuales decadentes (ni de celle de ces intellectuels décadents) que la sociedad capitalista utiliza para (que la société capitaliste utilise pour)... Tournant à droite au sortir du bar, il voit aussitôt marcher à son côté son double reflété par les glaces des vitrines successives des magasins. Aucun effort artistique ou de présentation ne semble avoir été tenté dans l'arrangement ou la disposition des étalages ou des réclames qui prolifèrent dans un désordre et un fouillis anarchique. La seule règle observée paraît être celle de l'accumulation et de la répétition, en hauteur ou en largeur. Les marchandises exposées, les slogans publicitaires, les sigles ou les raisons sociales s'inscrivent dans une suite de carrés ou de rectangles de différentes grandeurs qui défilent sur sa droite comme une sorte de mur à l'appareil irrégulier, seulement interrompu par les espaces vides des portes ou des porches. Les couleurs dominantes sont le jaune, le rouge et le brun. Quoique la plupart des immeubles qui bordent la rue soient déjà assez anciens, les soubassements des vitrines, les encadrements des portes et les revêtements des murs jusqu'au premier étage ont presque tous été refaits dans des matières dures et brillantes comme la céramique, l'acier chromé ou le marbre. D'étroites boutiques, des échoppes même, aux tentes fatiguées et de guingois, subsistent cependant entre les vitrines modernes, de même que subsistent aussi, entre les ensembles d'acier et de verre, les vestiges d'ornements architecturaux à la mode vers la fin du siècle dernier : colonnes corinthiennes, arcs ou consoles décorés de guirlandes sculptées, appareils de pierre aux larges joints en creux comme ceux des palais de la Renaissance. Ce mélange hétéroclite, exubérant, de vestiges rococo et de matériaux modernes et froids renforce encore l'impression d'accumulation forcenée, sauvage, et d'anarchie, accrue par l'incroyable quantité de papiers sales, d'emballages écrasés et froissés qui débordent d'entre les roues ou de sous les carrosseries des longues voitures étincelantes rangées le long du trottoir. A peine a-t-il fait quelques pas que, soit du fait de la chaleur humide qui, en même temps que la lumière, l'a aussitôt agressé, soit parce qu'il se retrouve debout et obligé de marcher, le mieux-être ressenti dans le bar disparaît. Les jambes molles, la douleur ou plutôt la pression sourde réinstallée à son côté, ahuri par le mouvement de la rue et le bruit de la circulation, il progresse péniblement, enregistrant de façon machinale, comme un peu plus tôt, les objets, les inscriptions, les images ou les étalages sur lesquels passe, immatérielle et transparente, la silhouette voûtée qui marche à son côté. Après avoir parcouru quelques mètres, il est obligé de s'arrêter de nouveau. S'immobilisant avec lui et pivotant en même temps qu'il se tourne, l'air de flâner, vers la vitrine du magasin auprès duquel il se trouve, son double se détache maintenant de face et en sombre sur le reflet lumineux de la rue derrière lui, dessinant une tache grise, uniforme (comme si l'intérieur de la silhouette était, de même que celle des passagers sur la maquette en coupe de l'avion, simplement hachurée de rayures parallèles), remplissant le contour de la tête, des épaules et du corps sans qu'il soit possible de distinguer les détails du vêtement ou du visage, de sorte que l'on ne peut dire si quelque grimace de douleur tiraille ou déforme les traits. Le reflet de la tête sans relief se découpe en partie devant une pancarte rouge qui porte en lettres blanches l'inscription THE SUPER QUALITY au-dessus d'un rectangle vert où est écrit le mot CIGARS. Comme s'il se raccrochait à une tâche précise pour tenter d'oublier la douleur ou lui laisser le temps de s'atténuer tout en gardant une contenance (ou peut-être lisant machinalement), il porte son regard un peu sur la droite où se trouve une seconde pancarte avec, écrits en cursive, les noms GARCIA Y VEGA soulignés par un paraphe qui, à partir du dernier jambage de la lettre finale, repart en arrière, puis décrit une boucle, dessinant une sorte de huit horizontal et inachevé. Entourant les deux pancartes fixées sur un panneau vertical de carton blanc, des boîtes à cigares sont disposées de-ci de-là, plus ou moins inclinées, comme si elles volaient, pêle-mêle avec les feuilles d'arbre en matière plastique, rouille ou olive, épinglées asymétriquement entre les boîtes et qui, elles aussi, semblent emportées par une bourrasque. Les boîtes sont ouvertes pour laisser voir les rangées de cigares bagués de rouge. D'un geste excédé et dans un grand bruit de papier violemment manipulé, le délégué au masque de proconsul déploie devant lui un journal ouvert dans la lecture duquel il s'absorbe ostensiblement tandis que de l'autre côté de la table, presque en face de lui, un autre, dont le visage est pourvu d'une courte barbe rousse, parle à son tour, penché vers son microphone. Déformée par la même résonance métallique, sa voix est cependant moins timbrée que celle de son prédécesseur. El ideal que, en cuanto escritores independientes (L'idéal que, en tant qu'écrivains indépendants), proponemos a la humanidad enferma (nous proposons à l'humanité souffrante) es una comunidad (est une communauté) que termine de una vez por todas con toda especie de explotación, ya sea física o espiritual (qui en finisse une fois pour toutes avec toute espèce d'exploitation, physique ou spirituelle), de la criatura humana y (de la créature humaine et)... Derrière la silhouette plate et grise immobile renvoyée par la vitrine du magasin de cigares brillent les reflets qui courent sur les lignes horizontales de la carrosserie d'une longue automobile arrêtée au bord du trottoir. Le pare-chocs avant et la calandre dépassent sur la gauche de la silhouette qui cache une partie du capot tandis que le pavillon et le long coffre arrière réapparaissent sur la droite, se superposant aux vives couleurs des boîtes de cigarillos qui sont présentées sur un panneau de contre-plaqué, vertical, occupant tout le côté droit de la vitrine. De formats rectangulaires, elles sont tant bien que mal accolées les unes aux autres, comme les pierres d'un mur, leurs dimensions différentes ne permettant toutefois pas une disposition régulière, de sorte qu'elles laissent voir entre elles des bandes plus ou moins larges du contre-plaqué sur lequel elles sont attachées ou collées. Les couleurs dominantes sont ici encore le rouge, le jaune, l'orangé et le brun. Quelques rares boîtes au couvercle blanc, bleu ou vert posent çà et là des notes dissonantes. En haut du panneau, des lettres blanches en relief faites de matière plastique moulée annoncent : Imported Cigars and Tobacco. Au-dessous, l'ensemble des boîtes plates forme comme un damier aux cases irrégulières dans lesquelles se répètent (à l'exception de quatre ou cinq décorées d'un simple chiffre) deux images, toujours les mêmes : la tête d'un fou sous un bonnet rouge dont les pointes pendantes en tous sens sont terminées par des grelots, et le buste d'un homme à barbiche en costume Louis XIII portant un col de dentelle à rabats, coiffé d'un feutre à larges bords penché sur le côté et orné d'une plume d'autruche. Ayant peut-être trouvé un article qui l'intéresse particulièrement (ou feignant ?), le proconsul plie soigneusement le journal et se remet à sa lecture tandis que l'orateur à la barbe rousse développe son intervention : Es por eso (C'est pourquoi) que también me parece (il me semble aussi), a pesar de mi desacuerdo (en dépit de mon désaccord), sobre los términos de la proposición hecha por mi estimado compañero Valdés Garcia (sur les termes de la proposition faite par mon estimé camarade Valdes Garcia)... Derrière le journal élevé devant lui comme un mur, le proconsul affecte d'être absorbé tout entier par l'article dont il a commencé la lecture. ...que debemos examinar (...que nous devons examiner) con la más grande atención (avec la plus grande attention), y pesando cada palabra cuidadosamente (et en pesant soigneusement chaque mot), la redacción (la rédaction) de este muy importante párrafo cuatro (de ce très important paragraphe quatre). Por consiguiente (En conséquence), propongo (je propose)... Accoudé sur la table, le proconsul tient toujours le journal à deux mains devant son visage, de sorte que les délégués assis de l'autre côté peuvent voir le sommet de sa tête dépassant au-dessus de la page tout entière divisée en rectangles de différentes grandeurs, les uns verticaux, les autres horizontaux et assemblés comme les pierres d'un mur. L'ensemble a l'aspect d'une sorte de damier irrégulier dont chaque case est ornée de dessins et d'inscriptions. Certaines d'entre elles se détachent en noir sur fond blanc, d'autres à l'inverse. L'un des rectangles, tout en hauteur, occupe, à gauche, un bon cinquième de la page. A côté d'un dessin représentant une aiguille rocheuse aux pans géométriques et au pied de laquelle galope une troupe de minuscules cavaliers, on peut lire, en grandes lettres : ¡2a SEMANA! : ¡UNA PELICULA GIGANTE!, puis sur le sol noir, en caractères blancs aux contours tremblés : EL ORO DE MACKENNA (Mackenna's Gold) et, surmontant le tout, à côté de l'inscription verticale HOY, une liste de noms également en caractères blancs se détachant dans de petits rectangles noirs : ASTOR, BANDERA, LAS LILAS, NORMANDIE, GRAN AVENIDA — ROT. DESDE LAS 13 HRS. Le haut de ses épaules dépassant à peine au-dessus du plateau de la table recouverte du tapis vert, le petit président penché en avant noircit rapidement des papiers sans relever la tête. Derrière les délégués, sur une rangée de chaises alignées de chaque côté de la salle le long des baies obstruées de rideaux sombres entre les colonnes ioniques, sont assis les auditeurs, parmi lesquels quelques femmes. Certains prennent des notes en appuyant leurs calepins sur l'une de leurs cuisses croisées. Le délégué à la barbe de Charles Quint tient maintenant à deux mains une feuille de papier, et lit : El deber del escritor (Le devoir de l'écrivain) es de hablar (est de parler) en nombre de (au nom) las masas trabajadoras y oprimidas (des masses laborieuses et opprimées) dando testimonio (en témoignant)... Accolé au rectangle vertical se trouve un autre rectangle en largeur, moins grand, dont le coin inférieur gauche est tout entier occupé par la photographie du buste d'une femme appuyée de côté sur un coussin ou un oreiller, ses longs cheveux blonds et souples se répandant sur ses épaules nues, le bord inférieur du rectangle coupant l'image juste au-dessus des aréoles des seins, nus également et gonflés. Les yeux de la femme sont fermés. Une expression douloureuse est répandue sur son visage aux traits réguliers dont une moitié se trouve dans l'ombre. Au-dessus de sa tête est écrit en cursive le mot *Simultaneo* encadré de deux points d'exclamation, puis, en capitales : HOY-ALAMEDA, MINERVA. DESDE LAS 13 HRS. ¡ TRIPLE COLOSAL !., et, dans un cartouche noir, sur la droite : LA VENUS MALDITA Eastmancolor, *MAYORES DE 21 AÑOS. Baignés de tous les côtés par la lumière diffuse, les rectangles allongés des hautes façades des gratte-ciel ne se différencient, selon qu'elles se trouvent au soleil ou à l'ombre, que par une légère teinte citronnée ou bleu pâle, sans opposition de valeurs. A travers la nappe de brume laiteuse ils semblent flotter, sans poids et vertigineux, comme des bidons à demi pleins, lestés à leur base, dérivant insensiblement dans une eau trouble. Faisant suite au marchand de cigares se trouve une boutique plus petite qui a conservé sa vieille devanture de bois que l'on s'est contenté de repeindre fraîchement en noir. Disposés dans la vitrine sur un plan légèrement incliné, des magazines aux couvertures en couleurs sont alignés les uns à côté des autres sur quatre rangs superposés. Leurs bords inférieurs reposent sur des baguettes clouées horizontalement sur la planche (ou le contre-plaqué) et qui les empêchent de glisser. Comme la devanture, les baguettes et la planche sont peintes en noir. Les magazines sont de formats à peu près identiques. Les couvertures représentent des femmes nues ou à moitié dévêtues, certaines par exemple ayant conservé leurs bas à résilles ou des porte-jarretelles en satin noir ou rose. Elles sont photographiées dans des poses diverses : assises dans un fauteuil, à quatre pattes sur un lit, ou encore couchées sur le côté, mais de façon à ce que chaque fois leurs cuisses largement ouvertes offrent leur sexe au regard. Toutefois un rectangle ou un carré de papier noir collé sur chacune des photographies cache les pointes des seins ou les vulves. Elles fixent toutes l'objectif avec un sourire figé. Celles qui sont à quatre pattes, les fesses plus haut que la tête à l'arrière-plan, tournent celle-ci d'un mouvement forcé pour montrer aussi au photographe ou au spectateur leur sourire engageant. Prenant appui sur leurs épaules, elles ramènent leurs bras en arrière le long du corps, écartant leurs fesses à deux mains pour bien montrer, au-dessus du sexe, le périnée et l'orifice de l'anus. Celles qui sont assises ou demi-couchées tiennent leurs cuisses remontées, les genoux touchant presque les épaules. Les positions disgracieuses et inconfortables (repoussées par les oreillers, des têtes touchent du menton le sternum ou bien, pour permettre de regarder en arrière, les cous se tordent avec effort) crispent un peu les visages, font saillir des doubles mentons ou les plis du cou en spirales. Le peu que l'on peut voir du décor sur les couvertures dont les corps occupent presque la totalité évoque (satins ou soies brillantes de couleurs criardes — bleu roi, jonquille, rouge —, meubles modernes en bois clairs, coussins, lampes de fer forgé

aux pieds tarabiscotés ripolinés de blanc) ces inté-
rieurs de concierges ou de petits-bourgeois amateurs
de clinquant. D'autres fois on entrevoit le bord d'une
piscine ou l'herbe d'un pré. ...dando testimonio (...en
témoignant) de sus condiciones de vida (de leurs
conditions de vie) y dando una voz (et en donnant
une voix) a sus legitimas aspiraciones (à leurs légitimes aspirations). L'espace laissé libre au-dessous de
l'annonce publicitaire pour LA VENUS MALDITA,
sur la droite du panneau qui montre le groupe de
cavaliers galopant au pied du gigantesque rocher, est
occupé par un autre rectangle, plus haut que large,
dans lequel on peut voir, sous le nom du cinéma
(LO CASTILLO) une image un peu confuse où
l'on distingue au premier plan le buste d'un homme
revêtu d'une tenue vaguement militaire, coiffé d'un
béret, et qui tient à deux mains contre sa poitrine
qu'elle barre en oblique une arme automatique, noire
et luisante. Derrière lui, parmi un poudroiement de
lumières et d'ombres sommairement traduit en noir
et blanc par le cliché, on aperçoit les silhouettes de
plus en plus petites des hommes qui le suivent, tous
armés également, se frayant un passage à travers le
désordre des taches et des lignes entremêlées qui
suggère plus qu'il ne le représente le fouillis végétal
d'une jungle. La partie inférieure du corps disparaît
dans une mare d'encre noire où bougent de vagues
reflets. Le haut de l'image a été découpé en festons
irréguliers, comme ceux formés par des cimes d'arbres,

pour laisser place au nom du cinéma, en noir sur fond blanc, tandis que le titre du film ¡ EL INDO-MABLE ! s'inscrit en grandes lettres blanches irrégulières, comme des traînées de pinceau, disposées sur une courbe ascendante au-dessus de la mention, en lettres plus petites, ¡ SENSACION ! 3a SEMANA. La petite troupe patauge difficilement dans une eau boueuse et jaunâtre. La mauvaise qualité du cliché, l'encre d'imprimerie du journal elle-même de mauvaise qualité, grasse et grise, accentuent l'aspect poisseux, suintant et humide de la scène. Tout autour des marcheurs et derrière eux les feuillages projettent des ombres opaques, privées de ces transparences bleutées ou citronnées comme on en voit par exemple dans les tableaux impressionnistes. Parfois seulement un reflet métallique sur de larges feuilles à la surface vernie luit durement dans la demi-obscurité sur laquelle se détachent, voletant d'une façon incohérente, les innombrables espèces de papillons aux couleurs d'émaux, souvent criardes, comme celles de ces coussins proposés dans les loteries des foires ou que l'on entrevoit sur les cosy-corners des loges de concierges : ailes bleu turquoise rayées en éventail par des stries indigo, deux étroites bandes orange séparant les ailes antérieures des ailes postérieures (Hopféria Militaris) ; ailes rouges soutachées de noir portant à chacune de leurs extrémités antérieures un œil à la paupière noire, à la cornée blanche, à l'iris pourpre tacheté de noir, cerné d'un côté par une dentelure de lapis-lazuli tandis que sur les deux ailes postérieures le même œil est répété en plus petit avec cette fois une prunelle bleue piquetée de noir (Paon de jour); ailes en forme de voiles latines, triangulaires, jaunes marbrées de noir, bordées à leur partie antérieure d'une bande bleue où courent des arceaux noirs (Machaon). Certaines des femmes sont de type scandinave, avec de longs cheveux blonds et plats. Les couvertures de la rangée inférieure de magazines représentent des hommes, quelquefois par couples, photographiés eux aussi dans des postures favorisant l'exhibition au tout premier plan de leurs organes génitaux à l'emplacement desquels est aussi collé un petit rectangle de papier noir. La porte de la boutique est en retrait par rapport à la vitrine, de sorte que les parois du renfoncement sont aussi utilisées pour l'exposition des magazines. Les couvertures représentent également des hommes et des femmes aux cuisses écartées. Là cependant (par suite peut-être d'une disposition de la loi qui considère sans doute ces emplacements, perpendiculaires à la rue, comme faisant déjà partie de l'intérieur de la boutique) aucun rectangle noir ne dissimule aux regards les vulves aux lèvres ouvertes, aux muqueuses humides, roses, lilas ou bistres, entourées de toisons plus ou moins fournies ou quelquefois rasées, ce qui leur donne l'aspect de bubons saillants et éclatés, fendus verticalement, aux chairs gonflées et légèrement enflammées. Les membres des hommes ont le gland découvert et son bourrelet retient une collerette de peau plissée. Quoique aucun ne soit en érection ils sont tous de grande taille et leur extrémité pend au-dessous de la partie inférieure des couilles dont le poids étire la peau en forme de sac à demi vide. Par la porte ouverte, on peut voir quelques clients debout, la tête baissée, en train de feuilleter les revues disposées sur de longs comptoirs. Tout au fond, on distingue un mur ou une cloison tendue de noir dans laquelle s'ouvrent d'étroits couloirs où luisent de petites lumières rouges. Au-dessus le mot PEP est inscrit en grandes lettres blanches alignées sur une courbe ascendante et suivies de plusieurs points d'exclamation. Les deux ailes antérieures en forme de pétales arrondis sont divisées dans le sens de la longueur en deux surfaces à peu près égales, l'une blanche, l'autre d'un bleu d'améthyste qui, vers les extrémités, déborde sur le blanc, haché par de larges traits noirs en forme de points d'exclamation dont le dernier cerne tout le pourtour extérieur de l'aile ; les ailes postérieures, plus petites et d'un bleu plus grisé, sont aussi rayées de traits noirs divergents qui, à la jonction des ailes antérieures, cèdent la place à deux minces traits orangés (Mesomenia Crésus). L'air épais, surchauffé, a une consistance poisseuse. Reprenant sa marche, la main de nouveau appuyée sur son côté, il s'éloigne de la devanture aux magazines. Au-delà du carrefour où s'entrecroisent toujours les taches bariolées des voitures et de la foule des passants, il peut voir, encore terriblement lointaine, la marquise de son hôtel. Au carrefour, la rue traverse une large avenue. Sur le plan de la ville les blocs des maisons et des gratte-ciel dessinent des rectangles légèrement grisés, de tailles et de formes diverses, quelquefois étirés en hauteur, d'autres fois presque carrés, selon les intervalles plus ou moins grands entre les rues et les avenues parallèles qui se coupent toutes à angle droit. L'ensemble présente l'aspect d'un mur aux joints apparents de ciment blanc, ou encore d'un vaste damier aux cases irrégulières, tachées parfois de rouge aux emplacements des gares, des musées et des principaux monuments publics. La surface de la page laissée libre par les annonces géantes des trois grands films qui en occupent environ les deux tiers est emplie par un damier de petits rectangles à l'intérieur desquels on lit, au-dessous du nom de la salle où ils sont projetés, les titres d'une série de films : IMPE-RIO : EL AGENTE SECRETISIMO - CALIFOR-NIA : BUENA SERA MRS. CAMPBELL - YORK : SANDRO - CITY : EL GOLFO - EGANA : LO QUE EL VIENTO SE LLEVO - RIALTO : LOS VIOLENTOS VAN AL CIELO. Sur la gauche de chaque titre on peut voir une petite image représentant soit la tête de l'acteur principal, soit une scène du film (une lutte entre deux hommes, un homme et une femme embrassés, la silhouette en ombre chinoise d'une femme dans une chemise transparente, un cow-boy dégainant son colt) propres à susciter l'intérêt. Dans son sommeil il éprouve confusément la sensation d'un manque et plusieurs fois son bras cherche à côté de lui le corps absent. Clignant des paupières pour protéger ses yeux de la lumière tandis qu'il se redresse d'abord sur un coude, puis s'assied sur le bord du lit défait, il voit flotter comme dans une eau trouble le rectangle de la porte encadrant la silhouette de la femme qui se tient debout, en arrière du chambranle, pieds nus sur le carrelage de la cuisine. Ses jambes, ses épaules et ses bras sont nus eux aussi. Elle a noué au-dessus de ses seins une serviette-éponge marron qui cache son corps jusqu'à la naissance des cuisses. Elle tient d'une main un bol rempli de café fumant dont elle boit de temps en temps une gorgée. Un court corridor conduit à la porte de la cuisine. Sur le mur de droite du corridor s'ouvre une autre porte dans le rectangle de laquelle (déformé par la perspective en trapèze) on aperçoit un lavabo et la moitié d'une baignoire. Au-dessus de la baignoire se trouve une fenêtre par où l'on peut voir une cheminée d'usine qui s'élève plus haut que les cimes d'un bois de pins dans le ciel encore pâle, couleur d'ambre, où les dernières étoiles se sont éteintes. Le soleil n'est pas encore levé. On distingue nettement les briques de la cheminée, d'un brun violacé, ainsi que leurs joints clairs. Toujours assis sur le rebord du lit, dans l'axe du couloir, il regarde en face de lui la femme drapée dans sa serviette et qui le regarde aussi. A un moment, quoiqu'elle n'ait pas bougé, la serviette mal nouée glisse, dénudant le corps taché de sombre. Maintenant l'une des extrémités coincée sous son aisselle, la femme rattrape l'autre de sa main libre qu'elle ramène sans hâte au-dessus du sein et reste ainsi. Leurs yeux ne se sont pas quittés. Ni l'un ni l'autre ne parlent. Il passe successivement devant une chemiserie, un magasin de postes de radio et de télévision, l'immense vitrine encadrée d'acier poli d'une entreprise d'export-import, et fait de nouveau halte, se tenant le côté, devant une boutique d'opticien. Derrière les lunettes à montures d'écaille ou d'or disposées en désordre dans les replis d'un velours moutarde se dresse une planche anatomique sur laquelle est représenté en couleurs un œil de la taille d'un petit melon, sorti de son orbite. Sa face postérieure est enserrée par un réseau de veines rouges se ramifiant comme des racines. Au-dessous et à la même échelle figure une coupe schématique du même œil montrant la cornée bombée, la chambre antérieure, la pupille, l'iris, le corps vitré, la rétine et le nerf optique. La cornée et la sclérotique qui entourent le globe sont colorées de bleu lavande, la chambre antérieure derrière la partie bombée de la cornée est couleur chair, l'iris rouge orangé, le cristallin est strié de fines lignes bleues, comme un oignon aplati coupé en deux, la masse du corps vitré est d'un gris bleuté, la rétine et le nerf optique sont vert Nil. Une ligne mauve ondulée qu'un trait noir relie, à l'extérieur du dessin, au mot *macula* tapisse le fond de l'œil et s'enfonce ensuite comme un axe au centre du nerf optique. L'effet d'ensemble des lignes bleues, orangées, vertes et rouges accolées font songer aux couleurs d'un arc-en-ciel. Devant la photographie d'une vedette de cinéma une énorme loupe est disposée de telle façon que le passant peut voir l'œil de celle-ci démesurément agrandi, s'étendant sur presque toute la largeur du visage, comme celui d'un cyclope. Ensuite viennent un magasin de machines à écrire et d'articles de bureau, puis un magasin de jouets, puis une boutique de lingerie. Progressant sur ses jambes molles, il peut toujours voir son double glisser sur les dictaphones, les agendas, les classeurs métalliques, les lettres des claviers, les tanks miniatures, les fusées miniatures, les avions miniatures suspendus par des fils au-dessus des colonnes de petits soldats en tenues de camouflage progressant dans une jungle miniature au milieu des boîtes de Meccano, des ours en peluche et des jeux de patience, puis disparaître tandis qu'il traverse le vide d'un portail, puis réapparaître devant des torses de femmes revêtus de courtes chemises transparentes mauves, turquoise, noires, réséda, de soutiens-gorge en lamé or, de pantalons de dentelles, puis, tout de suite après, devant une succession d'hommes et de femmes assis les uns derrière les autres dans une suite de boxes étroits et seulement séparés de la rue par l'invisible paroi de la vitre à laquelle quelques-uns s'appuient de l'épaule, tous de profil, tournés dans le même sens et dans la même position c'est-à-dire légèrement penchés en avant, de sorte que chacun d'eux semble s'adresser au dos de son voisin, comme sur cette affiche que l'on pouvait voir autrefois dans le métro, représentant à la queue leu leu des ouvriers peintres en blouse blanche traçant chacun au pinceau sur les épaules de celui qui le précédait les mots composant le slogan publicitaire d'une marque de peinture. Les uns après les autres ils glissent lentement sur sa droite, vaguement irréels, incrédibles, comme la répétition avec de légères variantes, de légères différences d'expression sur les visages blancs ou noirs, d'un seul et unique personnage reproduit à plusieurs exemplaires et pour ainsi dire absent à la fois de son enveloppe matérielle et de son environnement, transporté dans un ailleurs lointain, proférant des paroles inaudibles, à l'écoute de réponses inaudibles enregistrées et renvoyées non par un interlocuteur de chair et d'os mais par l'oreille et la bouche d'ébonite qu'il maintient contre sa propre oreille et sa propre bouche, chacun poursuivant pour lui seul un interminable discours, passionné, volubile, dans une silencieuse et incohérente cacophonie, les délégués autour de la longue table verte parlant et gesticulant maintenant tous à la fois, le petit président essayant de temps à autre de lever la main pour réclamer le silence, se penchant vers le microphone posé devant lui, commençant une phrase, puis renonçant, tournant la tête pour prendre à témoin quelques personnages debout derrière lui et qui tour à tour se penchent par-dessus son épaule tandis qu'il continue machinalement à tenir son bras levé, plusieurs bras se levant également autour de la table comme ceux des élèves d'une classe, le brouhaha à présent à son comble, étale pour ainsi dire, se niant, se détruisant lui-même et, en quelque sorte, paisible (comme le clapotis de l'eau agitée par le vent dans un bassin où, venant frapper le quai de pierre et renvoyées en arrière, les vaguelettes, en repartant, se heurtent à celles qui les suivaient, de sorte que, dans leur agitation, il est impossible de distinguer un sens ou une direction privilégiée, l'eau couverte de petites crêtes aiguës qui paraissent s'élever et s'abaisser sur place, sa surface, dans son ensemble, ne subissant aucune modification), comme si le désordre et l'incohérence constituaient l'état naturel et stagnant des choses, les auditeurs et les journalistes assis en rangs d'oignons le long des baies et des fausses colonnes grecques parlant aussi, se penchant en avant pour mieux entendre ou voir, certains se levant, s'agglutinant à des groupes de délégués debout, le journal du proconsul maintenant abandonné, posé à plat sur la table, plié en deux, de sorte que seule à présent apparaît, mais à l'envers, la tête du chef de la troupe coiffée de son béret frappé d'une étoile et entourée par le nuage permanent des moustiques, leurs minuscules points jaunes dans le soleil formant et défaisant sans cesse sur le fond noir de la forêt de mouvantes constellations, l'interprète partageant l'excitation générale, tapotant nerveusement ses notes du capuchon de son stylo, le visage tendu, tourné vers l'extrémité de la table où siège le président, se rappelant toutefois par moments son rôle, se détournant alors rapidement, commençant une phrase, comme Ils proposent de ou Les autres veulent que, qu'il interrompt presque aussitôt, son attention attirée ici ou là par les éclats plus violents d'une dispute, et à la fin renonçant, se penchant une dernière fois pour dire Je vous expliquerai, et après ça concentrant toute son attention sur le foyer le plus houleux de la discussion. Au-dessus (ou plutôt au-dessous maintenant) des frondaisons devant lesquelles tournoie le nuage des moustiques on peut toujours lire les mots EL INDOMABLE telles ces inscriptions tracées avec une fougue et une précipitation clandestines sur un mur nocturne en larges coups de pinceau aux extrémités déchiquetées comme des planches brisées et hérissées d'échardes en dents de scie. Le déchiffrage des lettres à l'envers, de droite à gauche, plus lent qu'une lecture normale, semble conférer aux mots épelés syllabe après syllabe ce poids et cette bizarre solennité de messages au sens caché qu'ils prennent lorsqu'ils sont laborieusement articulés par les enfants ou les analphabètes : NOC... TRA...TO...TO (CONTRATO), SO...VER...PER...OS (PERVERSO), FLO...RI...DA...HOY HOY (FLORIDA), DES...DE...DE (DESDE) LAS (LAS) 10 (10) HRS (HRS), RES...YO...MA...DE (MAYORES) DE (DE) 21 (21) AN...SO...OS (ANOS). Les syllabes décryptées l'une après l'autre, les mots, les groupes de mots, semblent s'inscrire en surimpression, à la fois monumentaux et dérisoires, au-dessus du brouhaha confus des voix : IL...OΛ...IT (TIVOLI) : O.T...DO (TODO) Nꓵ (UN) ꓥIꓷ (DIA) Ꙇ...Ꙇ (PARA) OW...ЯIЯ (MORIR). Si certaines des images qui illustrent les annonces sont, la tête en bas, facilement lisibles (comme par exemple la silhouette noire de la femme nue sous sa chemise transparente), d'autres, plus complexes, n'offrent au regard, soit en raison de la médiocre impression du journal, soit à cause de l'exiguïté de leurs dimensions, qu'une incompréhensible confusion de taches noires et blanches. Au bout d'un moment il cesse d'essayer de déchiffrer la page d'annonces. Avec l'ensemble de ses titres emphatiques, ses noms de cinémas évoquant des plages de luxe, des palais, ses alléchantes photos de personnages aux gestes passionnés, le journal abandonné sur le tapis vert semble échoué là, insolite et vain, comme ceux que l'on peut voir onduler, détrempés et à demi déchiquetés, sur l'eau sale des ports, ou encore enveloppant une botte de poireaux, continuant à proposer sans espoir les fragments de mots, d'images, arrachés à un monde violent, déclamatoire, et enfermés dans des rectangles bordés de noir, comme des faire-part de deuil. Dans le rectangle de la fenêtre le soleil colore maintenant de jaune les faîtes des pins. Sur un côté de la haute cheminée d'usine les briques prennent une teinte orangée. Un rectangle orange, légèrement étiré sur le côté, est plaqué sur le mur de la salle de bains, qui fait un angle droit avec celui où s'ouvre la fenêtre, à la même hauteur que celle-ci. Le soleil ne pénètre pas encore dans la cuisine (du moins dans la partie qu'il peut en voir depuis le lit sur le rebord duquel il est toujours assis) où se tient debout, tournée vers lui, la femme au buste enveloppé dans la serviette de bain marron. L'entrée du métro est constituée par un étroit escalier ne permettant pas à plus de deux personnes de descendre de front et qui s'ouvre dans le trottoir, parallèlement au sens de la rue, à côté de la caféteria au coin de l'avenue. Une simple balustrade de métal aux barreaux peints d'un vert olive la protège sur trois côtés. Les marches de ciment gris, mal balayées, s'enfoncent entre deux parois de briques vernissées. Sur le côté étroit de la balustrade est fixé un panneau métallique où on lit simplement en majuscules blanches sur un fond de la même couleur olive l'inscription UPTOWN encadrée par les initiales BMT deux fois répétées. Par-dessus le rebord du bol dont elle boit le contenu à petites gorgées, les deux yeux de la femme le regardent. A chaque gorgée il peut voir le cou se gonfler légèrement et, sous la peau, le cartilage du larynx monter et redescendre au passage du liquide. Au-dessus du sein droit et à partir de la main qui la retient, la serviette dessine trois plis obliques en éventail. Une seconde fois il pose la même question, obligé de racler sa gorge pour éclaircir sa voix. Le bol s'abaisse et il peut voir alors le visage tout entier. Son regard toujours fixé sur lui, elle dit doucement Non. Non ce n'est pas possible. Sur le mur de la salle de bains le rectangle de soleil vire lentement de l'orange au jaune. Barrant la poitrine d'une droite horizontale à hauteur des aisselles la serviette ne permet de voir que l'extrémité supérieure de l'ouverture en forme de caisse de violoncelle protégée par la plaque de plexiglas derrière laquelle on distingue de gros tubes bleus et rouges dont les branches se divisent et s'entrecroisent. Sous la peau lisse du cou c'est à peine si un faible renflement signale l'emplacement des vaisseaux externes qui se gonflent imperceptiblement à chaque poussée du sang invisible. D'étroits rubans de couleur bleue, rouge et jaune d'environ deux millimètres de large indiquent sur le plan les trajets des différentes lignes de métro, semés à intervalles à peu près réguliers de pastilles blanches. L'ensemble du système dessine des parallèles, parfois légèrement infléchies, qui dans la partie sud de la ville se ramifient et s'entrelacent en courbes et en boucles compliquées. Dans le coin inférieur gauche du plan est ménagé un rectangle où figurent les principales indications. Rubans rouges : IND LINES, rubans bleus : IRT LINES, rubans jaunes : BMT LINES. Pastilles blanches : LOCAL STOPS, pastilles blanches à centre noir : EXPRESS STOPS, deux pastilles blanches à centres noirs reliées par un trait : FREE TRANSFER. Dans le coin opposé on peut lire l'inscription HOTEL MAC ALLYN au-dessus d'une photographie découpée en forme de cœur et représentant un immeuble de vingt-cinq étages lui-même dominé par un haut gratte-ciel. Au-dessous est écrit en cursive : *In the Heart of the City* . La crosse de l'aorte est d'un bleu plus violacé que celui dont est colorée la veine cave supérieure. Une coupe du cœur montre le myocarde rosé et l'entre-croisement compliqué des cordages tendineux lais-sant entre eux d'étroites cavités et d'étroits couloirs comme ceux d'une grotte aux nombreux piliers formés par des stalagmites et des stalactites réunis. Rhabillé maintenant il est assis dans le fauteuil qui fait face au bureau du docteur. Tandis que le pouce et l'index de sa main droite tâtonnent au bas de son bras gauche pour reboutonner sa manchette, il guette avec anxiété le visage du médecin penché sur l'or-donnance qu'il est en train de rédiger. Derrière, accrochée sur le mur, il peut voir la joyeuse cohorte des carabins facétieux vêtus de blouses maculées de sang et qui se pressent autour de la jeune fille nue à tête de Bébé Cadum allongée sur la table d'opération. Lassé d'attendre et fatigué par l'examen, il se laisse aller en arrière, appuie sa tête contre le dossier de son siège et ferme un instant les yeux. Au bout d'un moment la sensation de brûlure produite par les paupières en se rabattant sur la cornée s'atténue, se transforme peu à peu en une simple chaleur pas désagréable, reposante même. Lorsque retirant ses lunettes il masse ses paupières du pouce et de l'index, des chenilles velues et floues, d'abord vertes, puis rouges, puis orangées, puis scintillant comme des ampoules électriques, se tordent, se fractionnent et se reforment lentement sur un fond marron. Le simple contact de certaines chenilles sur la peau a un effet vésicant, provoquant une brûlure et une enflure douloureuses dont l'effet persiste parfois pendant plusieurs jours. D'un vert pomme éclatant, le corps mou et annelé est décoré de dessins géométriques noirs, parfaitement réguliers, relevés de jaune. Sa queue se prolonge par une sorte de dard, brun, dont la pointe est teintée de rouge. S'arquant sur elle-même, la chenille progresse par contractions et élongations successives à la surface d'une large feuille d'un vert sombre, velouté, où se détachent des nervures corail, courbées comme des cils. Entre les bases de chacune des nervures se trouvent de petites taches ovales et pâles qui dessinent comme un rameau plaqué sur le fond de velours. Plus puissant que le bruit des réacteurs, celui du frottement de l'air sur les parois extérieures de l'avion ressemble au grondement d'un train express lancé à toute vitesse. Il rouvre les yeux. Orlando tend le bras vers la table de nuit et porte en tremblant un grand verre d'eau à ses lèvres sèches : C'est drôle à dire, señor, mais nous étions tous très calmes. Autour de nous les flèches empoisonnées venaient se fixer dans les troncs des arbres ; les grosses balles de plomb des fusils indiens ricochaient en miaulant. Malgré le sang qui nous battait les tempes et l'obscurité où nous étions, nous tirions posément, chacun notre homme. Il fallait économiser les munitions. Après ce serait la mort. D'autres petites photos encastrées dans le texte montrent des fleurs aux formes bizarres, aux couleurs violentes ou suaves. Certaines ressemblent à des bouches pourpres où darde une langue à l'aspect vaguement phallique. D'autres ont des pétales festonnés ou comme frisés au petit fer qui s'épanouissent, se tordent, se déplient, s'enroulent sur eux-mêmes, tachetés de vermillon, de safran, de cinabre. Les plus belles orchidées du monde s'épanouissent dans cet enfer aux mille traîtrises empoison... Il se penche en avant pour ramasser le magazine que ses mains ont laissé échapper. Le plancher de l'avion est recouvert d'une vilaine moquette bleu roi semée de petites chenilles noires. Il se redresse, s'installe de nouveau dans son siège et tourne les pages pour retrouver le reportage qu'il était en train de lire. Les titres des diverses rubriques défilent l'un après l'autre. MŒURS. AFFAIRES. THÉATRE. POLLUTION. VIE MODERNE. MÉDECINE. En haut d'une colonne se trouve un encadré dans la partie supérieure duquel on voit une tache grise affectant vaguement la forme d'un rognon ou d'un haricot et dont le sommet convexe est coupé de petits créneaux. Sur la droite est imprimé le mot CERVEAU. Une flèche, dirigée vers le bas, part d'une pastille rouge, au centre de la masse, et aboutit à un cercle où est représentée une coupe agrandie de l'hypophyse. De là une seconde flèche décrivant une courbe conduit le regard à une sorte de cornue qui occupe le bas du tableau, son bec dirigé vers la droite. Suivant le tracé de la flèche courbe on peut lire : ACTION DES GONADO-TROPHINES. Dans la partie ventrue de la cornue se trouve un petit ovale, légèrement oblique, d'où s'échappe un mince serpentin qui après avoir suivi un trajet méandreux redescend finalement selon l'axe central du bec de la cornue. Le T initial du mot TESTICULE empiète sur le bord droit de l'ovale. L'ensemble du tableau a pour légende : SCHÉMA DU SYSTÈME GÉNITAL DE L'HOMME. Par un souci de pudeur sans doute, le bec de la cornue est sectionné net, à peu près en sa moitié, de sorte que son extrémité n'est pas représentée non plus que le gland qui la termine. Les divers organes figurés n'ont d'autres liens entre eux que les flèches conduisant le regard de l'un à l'autre, et semblent flotter, séparés, comme dans un bac de formol. Leurs dimensions respectives sont d'ailleurs sans aucun rapport avec celles des organes réels dont certains sont démesurément agrandis sur le schéma à seule fin de rendre plus lisibles les détails de leur composition. Il ne convient donc pas d'accorder une signification particulière au fait que les testicules et la naissance de la verge sectionnée forment une tache environ deux fois plus grande que celle du cerveau. Le texte explicatif restitue d'ailleurs à ce dernier son importance primordiale dans le fonctionnement du système. Sur le mur de la salle de bains le rectangle de soleil est maintenant d'un jaune franc, citronné et uni, nettoyé de ces légères marbrures qui caractérisent l'impact des premiers ou des derniers rayons, lorsque le soleil se trouve encore juste au-dessus de l'horizon ou s'apprête à disparaître. Quoique s'opérant par d'imperceptibles degrés pour l'œil attentif d'un observateur, la modification s'est néanmoins produite avec une surprenante rapidité car la femme est toujours debout à la même place, droite, tenant encore à la hauteur de son visage le bol de café fumant qu'elle continue à boire lentement, par petites gorgées. Elle baigne à présent dans l'éclatante lumière qui pénètre à flots dans la cuisine, la salle de bains, le couloir, toutefois un peu moins clair, et la chambre où il se tient assis sur le bord du lit aux draps en désordre. Abandonnant le visage, son regard descend le long de la serviette marron, des jambes, passe sur les pieds nus posés sur le carrelage noir et blanc de la cuisine, le parquet du corridor, et s'arrête sur le tapis de la chambre entre ses propres pieds, nus aussi, légèrement écartés, leurs axes divergents dessinant les côtés d'un angle de faible ouverture. Le pied gauche masque en partie un hexagone vert sur fond rouge qui enferme une série d'hexagones de tailles décroissantes, successivement bruns, ocre, gris bleu, brique et tabac. Leurs contours sont hérissés de crochets aux formes géométriques qui leur confèrent une vague apparence de crabes à la carapace entourée de pattes recourbées et de pinces. De sous le pied droit sort une bande où, sur un fond blanc, se succèdent des sortes d'X aux branches recourbées, barrés en leur milieu d'un trait horizontal et, alternativement, gris-bleu bordé de rouge, rouge bordé de noir, vert bordé de rouge, brun bordé de rouge, puis de nouveau rouge bordé de noir. A droite du même pied commence une autre partie du tapis où, sur un fond marron cette fois, se répète le grand motif des hexagones à crochets enfermés les uns dans les autres, successivement, cette fois, brique, gris-bleu, jaune, marron, rouge, gris-bleu plus foncé et orange. Partant de la malléole externe, une veine en saillie serpente sous la peau du cou-de-pied, se divise à mi-parcours en une fourche dont la branche interne fait un angle presque droit avec l'autre qui continue en diminuant d'épaisseur et en s'effaçant peu à peu vers le petit orteil. Sur le trajet de la veine la peau se nuance de vert. Lorsqu'il relève la tête au bout d'un moment, son regard rencontre aussitôt les deux yeux marron qui, par-dessus le rebord du bol, sont restés fixés sur lui. Le bol est blanc, son pourtour décoré d'un filet vert. Il est orné de larges cannelures en creux convergeant vers sa base en s'amincissant, arrondies vers le haut, l'enserrant comme les pétales d'une fleur. La production des hormones sexuelles est commandée par la glande hypophyse. La vaste famille des orchidées (environ

15 000 espèces) forme à elle seule l'ordre des micro-spermales. Le sol de terre rouge et détrempée de la forêt disparaît sous les débris végétaux et l'humus qui le recouvrent. Entre ses pieds légèrement écartés il peut voir le sol du petit square, cimenté, d'une couleur grisâtre. Alternant avec des platanes rabougris, de maigres arbustes aux feuilles déjà roussies et cartonneuses sont plantés sur l'étroite bande de terre qui court le long de la balustrade séparant le square de la rue. Le banc sur lequel il est assis est formé de larges lattes de bois peintes d'une couleur vert olive, reposant sur des consoles de ciment. Le square occupe une des surfaces triangulaires dessinées par les deux avenues qui convergent au carrefour et se coupent en biseau, délimitant deux terre-pleins symétriques opposés par leurs pointes. Sans cesser de le regarder elle avale une nouvelle gorgée de café, puis écarte le bol de ses lèvres. Elle fait alors lentement pivoter sa tête de gauche à droite et de droite à gauche, les yeux toujours fixés sur lui, comme si la seule manifestation possible, au-delà de toute parole, était ce mouvement de silencieuse négation. Les derniers nuages se sont dissipés. On peut encore voir, très loin à l'horizon au-dessus de l'immense forêt, leurs grumeaux blanchâtres accumulés formant une ligne étale. En bas, sous l'avion, le sol commence peu à peu à se bosseler. Toujours recouvert par l'impénétrable tapis vert il se creuse bientôt de vallées aux pentes parfois abruptes et au fond desquelles se

tordent des rivières d'un jaune ou d'un rouge terreux. Par plaques d'abord, puis sur des espaces de plus en plus grands, apparaissent des étendues seulement couvertes d'herbes et de buissons, puis enfin la terre, des champs même, et quelques hameaux aux toits de tôle étincelant dans le soleil. De minces sentiers serpentent en lacets aux flancs des montagnes de plus en plus hautes, de plus en plus arides, jusqu'à ce que toute trace de vie humaine disparaisse de nouveau, les chaînes étendant à perte de vue des suites de pyramides emboîtées les unes dans les autres, avec leurs arêtes aiguës, leurs pans géométriques, nus, brûlés, aux teintes pastel : mauves, roses, rouille, bleu ardoise ou ocre. Aussi loin que porte le regard, aucune maison, aucun sentier n'apparaissent sur les terrifiantes et monotones successions de plans triangulaires se joignant en dièdres purs, ébréchés seulement çà et là par quelque accident géologique, et dont les couleurs évoquent celles de ces résidus calcinés qui restent après une expérience au fond des cornues ou des éprouvettes. Dans le silence rétabli, le petit président récapitule d'une voix monotone, comme celle d'un greffier, les diverses propositions de rédaction du paragraphe quatre. A la fin de chacune il relève la tête et compte le nombre des bras qui se lèvent autour de la table. Lorsqu'il a fini de compter il se penche vers son assesseur qui a compté aussi de son côté et contrôle le chiffre que celui-ci écrit sur une feuille de papier. Proposición número uno :

el escritor se define politicamente, en la medida que tiene existencia social, también lo hace por medio de su silencio o su ambigüedad. Proposición inicial elaborada por el grupo de trabajo de la Comisión de Redacción (Proposition numéro un : l'écrivain se définit politiquement, dans la mesure où il a une existence sociale, aussi bien par son silence que par l'ambiguïté de sa parole. Proposition initiale élaborée par le groupe de travail de la commission de rédaction). Proposición número dos : el escritor afirma su existencia y cumple su misión social poniendo su persona, sus escritos y sus palabras al servicio de las masas y de los pueblos oprimidos. Proposición de Antonio Marquez (Proposition numéro deux : l'écrivain affirme son existence et remplit sa mission sociale en mettant soi-même, ses écrits et sa parole au service des masses et des peuples opprimés. Proposition d'Antonio Marquez). Proposición número tres : el primer deber del escritor es de hablar en nombre de las masas trabajadoras y (Proposition numéro trois : le premier devoir de l'écrivain est de parler au nom des masses laborieuses et)... Cédant à la fatigue, la plupart des voyageurs de l'avion ont repoussé en arrière les dossiers de leurs sièges et somnolent. Quelques-uns ont desserré leurs cravates et dégrafé leurs cols. Plusieurs ont baissé les rideaux des hublots et une demi-pénombre règne dans la cabine. Une femme a couché sa tête sur l'épaule de son compagnon. Les hôtesses circulent de temps à autre dans l'allée centrale en regardant de droite et de gauche sans que personne les appelle. L'une d'elles a donné à un enfant une boîte de crayons et des images à colorier. Après avoir longuement réfléchi avant de choisir l'un des crayons, l'enfant trace sans relever la pointe des traits courbes, continus et revenant sur eux-mêmes en s'entrecroisant, qui dépassent les contours du personnage ou de l'animal auquel il s'attaque. Un mouvement maladroit de son bras fait choir la boîte de la tablette et les crayons se répandent sur la moquette. Sa mère se baisse pour les ramasser et l'hôtesse s'accroupit dans un mouvement qui fait remonter sa jupe sur ses cuisses. Un nègre café au lait, aux cheveux ondulés et orange, sans doute teints, arpente sans trêve le petit square suivant à peu près la bissectrice de l'angle formé par ses deux côtés les plus longs. Il est vêtu d'un complet bleu en bon état quoique légèrement fripé. Ses chaussures d'un cuir rougeâtre sont soigneusement astiquées. Il porte des chaussettes lie-de-vin et une chemise rayée de mauve, sans cravate, au col dégrafé. Tout en marchant il ne cesse de parler à haute voix en remuant les bras et les mains devant lui, comme des marionnettes. Parfois son regard est perdu dans le vide. D'autres fois il dévisage les personnes assises sur les bancs et qui détournent leur regard. Proposición número cinco : el valor del intelectual no consiste hoy en saber lo que piensa ni para quién piensa, sino en la relación estricta éntre lo que piensa y lo que hace. Proposición de Manuel

Arenas Vidal (La valeur de l'intellectuel ne dépend pas aujourd'hui de ce qu'il pense ou pour qui il pense, mais du rapport strict entre ce qu'il pense et ce qu'il fait. Proposition de Manuel Arenas Vidal). Proposición número seis : No hay otra acción positiva y justificativa del escritor que aquella que consiste en (Il n'y a d'autre action positive et justificative de l'écrivain que de s')... Parfois de faibles remous de l'air pâteux et surchauffé agitent mollement les feuilles jaunies des arbres. Encaissé comme au fond d'un puits entre les façades démesurées des buildings qui l'entourent, le square ne reçoit le soleil que lorsque celui-ci se trouve dans l'axe de l'une ou l'autre des avenues qui se croisent là. Le sol cimenté est percé de rectangles couverts par des grilles et d'où parviennent des bouffées chaudes, malodorantes, en même temps que les grondements sporadiques et assourdis des rames du métro. Sur le côté le plus court du square s'élève un monument de pierre où dans une niche encadrée de deux fausses colonnes corinthiennes une Minerve de bronze verdi, casquée, armée d'une lance et d'un bouclier, étend son bras libre au-dessus d'une grande cloche également en bronze qu'encadrent deux hommes aux vêtements de forgerons, armés chacun d'un marteau. Les bustes des ouvriers sont articulés à hauteur de leur taille, le joint étant dissimulé par les plis de leurs chemises bouffantes qui retombent au-dessus de leur ceinture. L'ensemble est surmonté du cadran d'une horloge. A chaque heure les torses pivotent horizontalement et, l'un après l'autre, les ouvriers frappent la cloche de leurs marteaux. Les notes de bronze s'égrennent une à une dans l'air immobile tassé par la chaleur. Rien dans la lumière (ni son intensité ni sa qualité : toujours blanchâtre et presque égale dans les zones d'ombre ou de soleil) ne permet de différencier ce moment de la journée de ceux qui l'ont précédé. La chaleur, la pesanteur de l'atmosphère n'ont pas varié, comme si elles ne dépendaient ni de la position du soleil dans le ciel ni de la proximité plus ou moins grande de l'aube ou du crépuscule. Rien non plus dans la pénombre verte qui stagne sous les épais feuillages, le décor qui les entoure, la forêt toujours pareille, n'indique à la troupe d'hommes en armes qui se fraie un passage à travers la végétation géante une quelconque progression dans l'espace ou le temps. Ils semblent piétiner sur place, les herbes, les lianes, la couche de débris végétaux qui recouvre le sol les forçant à lever exagérément leurs pieds, comme des figurants de théâtre imitant sans avancer sur les planches de la scène les mouvements de la marche tandis que leurs armes sont de plus en plus rongées par la rouille et que les dernières loques qui les couvrent s'en vont en lambeaux. Quoiqu'ils ne s'élèvent guère au-dessus du grondement continu de la circulation, les sons du bronze frappé font s'arrêter le nègre aux cheveux orange qui lève la tête et regarde fonctionner le système. Lorsque les forgerons s'immobilisent, il repart, agitant de nouveau les bras et marmonnant entre ses dents, le visage empreint d'une indignation outragée. Le bruit des marteaux frappant la cloche fait aussi s'envoler quelques pigeons roses et beiges qui s'élèvent, tournoient, se posent sur les branches déjà presque dénudées de l'un des arbres et reviennent piéter en quête de quelque nourriture sur le ciment. Plus d'une vingtaine de grands oiseaux qui dépouillaient un arbre de ses fruits s'envolent dans un concert de cris gutturaux. Seuls deux ou trois des hommes de la colonne relèvent la tête. Les Aras ont des mœurs sociables : ils forment des bandes comptant quelques dizaines d'individus. L'Ara militaire ou Ara macao est, avec le Cacatoès, le plus grand des perroquets. Leur queue, plus longue que le corps, est étagée et effilée. Les joues ne portent pas de plumes : la peau qui les recouvre est généralement blanche et se prolonge sous le bec de la mâchoire inférieure, ce qui leur donne une physionomie très particulière paraissant dédaigneuse ou goguenarde. Le bec, comme chez presque tous les perroquets, a la mâchoire supérieure peu mobile : il sert de crochet quand l'oiseau grimpe le long d'une branche. Leur plumage est d'un beau rouge vif. Leurs ailes sont jaune et bleu. Quelle fête de couleur lorsque les Aras, ailes déployées, s'envolent dans les rayons du soleil ! La bande piaillante et jacassante disparaît, laissant derrière elle dans l'œil ébloui un long sillage de couleur. Les quelques soldats qui s'étaient laissés distraire baissent à nouveau leur tête et reprennent leur marche. La barrière des sourcils ne suffit pas à arrêter la sueur qui ruisselle de leur front, coule dans leurs yeux, le long de l'arête du nez, sur les joues aux barbes hirsutes. Parfois l'un d'eux passe d'un geste machinal sur son visage son avant-bras nu lui-même trempé de sueur et taché de graisse d'arme. Certains marmonnent des injures ou des plaintes. Sans qu'ait retenti la cloche de bronze le nègre aux cheveux décolorés et roux s'arrête de nouveau, comme interdit, promenant autour de lui d'un air de défi un regard à la fois surpris et provocant, contemplant successivement les gens assis sur les bancs du square, les passants et le flot de la circulation qui s'écoule au pied des hautes parois de pierre, les mains marionnettes immobilisées elles aussi, comme s'il les avait soudain oubliées, à hauteur de son visage; puis, sans plus de raison apparente, il reprend sa marche et son monologue, fermant le poing droit qu'il abaisse et élève d'un geste sec, mécanique, au rythme de ses premiers pas. Toujours rythmé par les feux du carrefour, le trafic continu des automobiles s'immobilise, repart, s'immobilise, repart de nouveau. Le building qui s'élève au coin de la rue et de l'avenue superpose ses rangées de fenêtres, alternant avec les bandes horizontales du revêtement, comme une pâte feuilletée. A hauteur de l'entresol un slogan publicitaire répété avec régularité proclame que le magasin qui occupe le rez-de-chaussée et les étages inférieurs est le plus grand du monde. Sans trêve une foule bariolée d'hommes et de femmes entre et ressort par les portes à tambour. Avec une régularité de métronome un reflet lumineux étincelle et disparaît sur les panneaux vitrés du tourniquet. Une dame entre deux âges, assez forte, vêtue d'une robe de soie brillante rose berlingot et coiffée d'une toque de plumes grises, pénètre dans le square et se dirige d'un pas fatigué vers l'un des bancs où elle s'assied. A côté de ses pieds enflés elle pose sur le sol un vaste sac en papier fort sur lequel on peut lire le nom du magasin et la répétition du slogan au-dessus et au-dessous d'un œil géant, dessiné et ombré au moyen de traits courbes plus ou moins serrés et entrecroisés, comme l'agrandissement d'une gravure sur cuivre. Derrière les verres épais de ses lunettes cerclées d'or les yeux du docteur en train de lire et de commenter son ordonnance sont démesurément agrandis. Au-dessus du bol au pourtour décoré d'un liséré vert les deux yeux de la femme semblent manger tout le haut du visage. Ils sont toujours dirigés sur l'homme assis au bord du lit en désordre et qui lui-même continue à fixer le visage de la femme ou du moins ce qu'il peut en voir au-dessus du bol vraisemblablement vide maintenant mais qu'elle tient d'un geste machinal, oubliant de le reposer, ou comme si elle cherchait à dissimuler derrière lui le bas de sa figure. La couleur et l'intensité lumineuse du rectangle de soleil sur le mur de la salle de bains ne se sont pas modifiées. Peut-être s'est-il légèrement déplacé, mais sur une distance infinitésimale que l'œil ne peut apprécier. Il semble qu'après avoir brusquement surgi comme une orange au-dessus de la cime des pins et un début d'ascension rapide tandis qu'il changeait de couleur et s'éclairait, le soleil se soit maintenant presque immobilisé, commençant à entamer sa course avec cette solennelle lenteur des astres immobiles lancés à de fantastiques vitesses à travers l'espace. Entre les fausses colonnes ioniques de la longue salle où discutent les délégués, les lourds rideaux aveuglent étroitement les fenêtres, empêchant le jour de pénétrer. Les visages, la longue table au tapis vert bordée de chaque côté par les rectangles blancs des blocs de papier, baignent dans l'éclairage toujours égal que répandent les rampes électriques dissimulées dans les chapiteaux des colonnes. Aucune modification de la lumière ne signale un quelconque écoulement du temps ni ne permet de se faire une idée, même approximative, du moment (matin, après-midi, crépuscule) où en est la journée. Le débit presque indifférencié des voix parlant dans une langue étrangère, le retour périodique dans les interventions successives des mêmes mots, groupes de mots, ou de leurs synonymes, accentue encore cette sensation d'atemporalité. Después de esperar durante varios días (Après avoir espéré pendant plusieurs jours, chuchote l'interprète) que este Encuentro de Escritores (que cette rencontre d'écrivains)... Cette fois celui qui parle s'est levé de son siège, sans doute pour donner plus de solennité à ses paroles. C'est un homme d'une trentaine d'années environ, au physique un peu mou de jeune premier, comme ceux que l'on peut voir, sur ces cartes postales à fond rose qu'achètent les bonnes ou les militaires, en train de murmurer à l'oreille d'une jeune fille à la toison frisée qui l'écoute en souriant au-dessus d'un bouquet dont les fleurs en relief sortent d'une collerette de tulle collée sur le carton. Ses paupières à demi closes ne laissent passer son regard qu'à travers une étroite fente, ses pommettes sont hautes, sa lèvre supérieure épaisse déborde sur sa lèvre inférieure, ses cheveux cosmétiqués sont d'un noir huileux, relevés en coque sur le front. Il porte une cravate de cachemire à fond vert et à petits motifs jaunes et est vêtu d'une veste de sport de coupe anglaise à un bouton qui bride légèrement le tissu sur son ventre déjà gras. ...se decidiera a tratar, al fin (se décide à traiter enfin)... Négligeant le microphone posé devant lui sur la table et d'ailleurs trop bas pour un orateur debout, il lit d'une voix forte, tourné vers le président, un papier qu'il tient à deux mains. ...los puntos del temario que se había fijado de antemano (les différents thèmes qu'elle s'était fixée au départ)... Émergeant à peine au-dessus de la table, le petit président regarde l'orateur par-dessus ses lunettes, le visage empreint d'une expression de stupeur incrédule et navrée, sa main tenant encore le stylo au-dessus de la feuille de papier sur laquelle il était en train d'écrire ou peut-être d'annoter un texte. La plupart des délégués regardent aussi le jeune premier avec la même expression d'étonnement, tempérée toutefois par la lassitude et l'ennui. Le proconsul romain a de nouveau ostensiblement déployé son journal. ...hemos decidido abandonar el Encuentro (avons décidé de nous retirer de la rencontre) y fijar ante él nuestra posición y desacuerdo en los siguientes puntos (en précisant auparavant notre position et notre désaccord sur les points suivants). Primeramente : el desarrollo real de las actividades (Premièrement : le déroulement réel des travaux) que en poco o nada ha tenido que ver (qui a bien peu à voir, sinon même rien du tout) con el espíritu de la convocatoria (avec l'esprit de la convocation) y los puntos (et les points)... Au bout d'un moment la douleur, la nausée et l'espèce d'étourdissement qui l'accompagnent se font moins violents. Quatre bancs sont disposés sur chacun des côtés de l'angle aigu formé par le square. A leur alignement et parallèlement à la grille extérieure courent des arceaux de fer primitivement destinés sans doute à délimiter une bande de gazon, mais pas un brin d'herbe ne pousse sur le couloir de terre grisâtre seulement parsemé de papiers ou de journaux froissés. Le premier banc à partir de la gauche sur le côté du square en face de lui est occupé par deux jeunes filles aux jupes très courtes qui grignotent des choses qu'elles sortent d'un sac posé entre elles. Sur le deuxième banc sont assis la grosse femme à la robe rose bonbon et un jeune homme en pantalon bleu, mocassins de cuir bleu, chaussettes bleues et chemise bleu pâle dont les pans flottent par-dessus le pantalon, absorbé dans la lecture d'une brochure. Le seul occupant du troisième banc est un homme à l'abondante chevelure châtain qui retombe des deux côtés de son visage rejoignant une barbe drue taillée court, comme celle que l'on voit à Charles Quint sur le portrait qu'en a peint Le Titien. Plus couché qu'assis, un peu tourné sur le côté, son corps repose sur le haut de la cuisse, la fesse et le coude gauches, les jambes légèrement pliées étendues devant lui, le buste incliné à quarante-cinq degrés environ, la tête penchée, à peu près à l'horizontale, sur son épaule gauche. Ses yeux sont fermés. A côté de lui sont roulés en boule un tricot beige et une vieille veste de la même couleur, vert olive, que son pantalon troué en plusieurs endroits, en particulier sur le genou gauche dont on voit la peau claire et sur la hanche droite où les bords d'une longue déchirure sont rapprochés par des épingles de sûreté, laissant apparaître, comme ces costumes Renaissance à crevés, la doublure noire (ou peut-être un autre pantalon par-dessus lequel il est enfilé ?). On peut voir aussi la peau de ses chevilles et de ses pieds nus dans des chaussures basses et noires sans lacets. Il paraît immobile, mais si on le regarde assez longtemps on s'aperçoit que son corps se tasse et s'affale peu à peu, à la façon de ceux de ces bonshommes de neige sous le soleil, ou comme s'il était rongé du dedans par une armée de termites. Le processus n'est pas continu et les changements successifs de position s'opèrent par de brèves saccades. On dirait que brusquement, à l'intérieur de son corps, quelque tendon, quelque petit os grignoté, cède soudain, et le buste s'effondre sur le côté de quelques centimètres. Parfois, quoiqu'il ne rouvre pas les yeux, un réflexe inconscient le fait réagir. S'affermissant sur le coude, le buste se redresse alors un peu, cherchant à reprendre sa position précédente. Après quoi, comme épuisé par l'effort fourni, il s'affaisse encore un peu plus. Sur la bissectrice de l'angle dessiné par le square, le nègre aux cheveux orange continue à aller et venir, parlant tout seul, s'arrêtant, repartant. Dans la longue salle aux murs et aux moulures badigeonnées d'ocre uniforme et où ne pénètre pas la lumière extérieure, les cendriers débordant de cigarettes et un désordre croissant dans l'alignement des sous-mains et des blocs de papier disposés devant les délégués témoignent seuls du temps écoulé. Sexto (Sixièmement) : la complicidad de ciertos escritores (la complicité de certains écrivains), famosos o a punto de dejar de serlo (célèbres ou sur le point de ne plus l'être) que por razones fáciles de explicar (qui pour des raisons faciles à expliquer) han abandonado (ont abandonné) el papel que antes representaban (le rôle qu'ils avaient tenu auparavant), el de vanguardia y conciencia moral (celui d'avant-garde et de conscience morale) de las fuerzas auténticas (des véritables forces) que se proponen a corto o largo plazo (qui se proposent à court ou à long terme) edificar desde nuevas bases (d'édifier sur de nouvelles bases) las organizaciones politicas de nuestros pueblos (les structures politiques de nos peuples). Siete (Septièmement)... A présent l'avion survole une côte désertique, ocre, frangée par la mince ligne d'écume que font en s'y brisant les vagues de l'océan. De l'altitude où il vole, la bordure blanche qui sépare comme un surjet les deux éléments, la terre et l'eau, est apparemment immobile, comme le sont aussi les stries parallèles qui rident à perte de vue l'immense surface bleue aussi figée, aussi pétrifiée que les falaises brûlées, les grèves désertes, les embouchures des fleuves de sables où ne miroite aucune eau. Des pitons rocheux peu élevés, comme des croûtes plutôt, émergent au sommet de longues dunes grises en formes d'os de seiche, toutes orientées dans le même sens, accumulées sans doute par des millénaires de vent à partir et autour de l'obstacle rencontré. Aussi loin que l'œil puisse voir on ne découvre ni ville, ni champ, ni hameau, ni maison. Seule une mince ligne droite, comme tirée au cordeau, s'étire à l'infini, un peu à l'intérieur des terres et à peu près parallèle à la direction générale du rivage, s'infléchissant parfois pour contourner une dune trop haute, puis filant de nouveau, absolument rectiligne, ne venant apparemment de nulle part, ne conduisant nulle part, à travers les roches calcinées, les sables, les terrifiants espaces nus couleur de soufre, de fer ou de rouille. Les lambeaux d'étoffe décolorés pendent comme des chiffons sales, inutiles, sur les corps d'une effroyable maigreur. Parfois un lieutenant fait halte sur le côté de la piste et les compte au fur et à mesure. L'un après l'autre ils passent devant lui et avant que le suivant arrive à sa hauteur il suit d'un œil pensif la silhouette titubante qui s'éloigne. Les haillons déchirés découvrent les peaux brûlées, d'une couleur terreuse, sous lesquelles saille chaque tendon, chaque muscle et chacun des os du squelette comme ces écorchés des planches d'anatomie. De dos on peut ainsi voir : A : le Releveur propre. B : l'Omoplate dépouillée de ses muscles, excepté l'Abaisseur propre. C : l'Abaisseur propre. D : Portion du grand Dentelé. E : Sacrolombaire (prend son origine de la partie postérieure & supérieure de l'Os des Isles, & des deux vertèbres supérieures de l'Os Sacrum, & va tout le long de la racine des Côtes). F : Épineux (sort de la partie postérieure de l'Os du Sacrum par un principe aigu, & s'insère tout le long des Épines du Dos jusqu'au Col). G : Sacré (le Sacré vient du même endroit que l'Épineux & se glisse sous lui jusqu'à la douzième Vertèbre du Dos). H : Portion du Transversal. I : Les Côtes. K : Le long Extenseur du Coude. L : Tendon du court Extenseur du Coude. M : l'Os du bras. N : l'Os du Coude & O : l'Os du Rayon, avec quelques ligaments ; ils sont sans chair de l'autre côté. P : Grand Trocanter.

Q : Portion du Vaste externe. R : Triceps. S : Portion du Crural. T : un des Fléchisseurs des Orteils. V : le Fléchisseur du gros Orteil. X : le Tendon des Gémeaux & du Solaire. Y : l'Omoplate dépouillée de tous ses Muscles. Z : l'Os du Bras. *a* : l'Os de la Jambe sans chair. *b* : l'Os appelé Péroné, aussi sans chair. *c, d* : Autres Extenseurs du Pied. Soit maladie, soit blessure, soit par suite d'une nourriture impropre ou peut-être simplement pour servir eux-mêmes de nourriture, les mulets ont dû être abattus l'un après l'autre et le chef de la troupe, s'aidant d'un bâton, s'avance maintenant lui-même à pied, son casque damasquiné, l'épée de Tolède et ses pistolets piqués de rouille brinquebalant à son côté avec un bruit de casseroles. Entre la courte barbe jaune qui couvre les joues et les cheveux trop longs, ses yeux brillent d'un éclat fiévreux et d'une volonté indomptable. Le chemin suivi est jalonné par les carcasses des mules dépecées et abandonnées dont les restes sont aussitôt dévorés par les fourmis. Sous leur grouillement rougeâtre apparaissent très vite les os couleur d'ivoire, le berceau des côtes, les crânes aux longues dents jaunes. En peu de temps, les herbes, les lianes, la végétation exubérante en prennent possession, s'insinuent dans les interstices, les cavités, les orbites vides, s'enroulent autour des os encore puants. Les soldats ne se retournent plus lorsque l'un d'eux s'arrête et s'écroule, ils ne creusent pas de tombe, n'élèvent plus de tumulus, ne plantent plus de croix, ne prononcent plus de prière. Ceux qui ont encore assez de forces ramassent au passage l'arme du mourant et celui-ci voit s'éloigner, se perdre dans les déchirures vertes, le dernier homme de la colonne ployant et claudiquant sous son double chargement de fusils ou de mitraillettes aux tubes noirs, graisseux et funèbres. Quelquefois les ennemis invisibles qui les suivent le découvrent. Il peut apercevoir alors, penchés sur lui, leurs visages empreints d'une somnolente cruauté, leurs yeux aux paupières mi-closes, leurs pommettes hautes, leurs épaisses lèvres supérieures qui débordent sur la lèvre inférieure et leurs cheveux huileux. Quoique tachés de sueur aussi, leurs uniformes sont intacts et réglementairement boutonnés. Après l'avoir torturé ils l'achèvent de leurs longs couteaux. D'autres fois des bêtes l'attaquent qu'il distingue vaguement dans son délire, comme des créatures fantastiques nées de l'imagination d'un peintre. Il arrive parfois que les miniaturistes du Muséum figurent des animaux aberrants. Nous croyons que tel est le cas de ce Cacatoès dont la huppe rose est, semble-t-il, une anomalie. Pour se prononcer sur l'espèce de cet oiseau au plumage gris et safran, il faudrait au moins voir sa dépouille. Elle n'a pu être retrouvée dans les collections du Muséum. Effrayés par la découverte de monstres aux dimensions et aux formes inconnues sous nos latitudes, les explorateurs en ont rapporté des images et des descriptions souvent des plus fantaisistes. Certains par exemple ont une queue de poisson, un corps couvert d'écailles, des pattes de dragon et une tête de cheval. D'autres ont le corps d'un cheval et le buste d'un homme. D'autres ont des serres d'oiseaux, des griffes d'ours, des ailes d'aigles. Celui qui ne croit pas au surnaturel ne peut comprendre Colomb, écrit le comte Roselly de Longues, postulateur de la Cause devant la Sacrée Congrégation des Rites. Pêle-mêle avec les dieux à tête de taureau, les béliers à queue de dragon, les crabes aux pinces géantes, les scorpions, les vautours bicéphales, les paons couverts d'yeux, ils gravitent lentement, invisibles dans le ciel pâle. Au-dessous de l'avion une brume roussâtre, d'abord diaphane et qui va s'épaississant, fond peu à peu le désert et l'océan dans une même grisaille indistincte où, par moments, le mince liséré d'écume qui les sépare apparaît encore, disparaît, réapparaît, s'efface complètement, puis surgit soudain, tout près, mouvant maintenant, s'étalant et se rétractant tour à tour comme des coulées de bave sur un sable marron le long de l'océan couleur de bile, rebondissant sur la carcasse décharnée d'un bateau échoué de biais sur le rivage. D'abord indifférenciée du sol où elle s'étend, ses maisons de boue séchée pareilles à la terre gris ocre, une ville monte lentement sous les yeux des passagers penchés vers les hublots. Les maisons sans étage sont carrées, dépourvues de toits, seulement recouvertes de claies de roseaux ou de tôles ondulées maintenues par des pierres, toutes approximativement de la même dimension, collées les unes aux autres ou séparées parfois par de petites cours. L'ensemble se présente comme un immense damier terreux surgi du sol même, ou plutôt comme si celui-ci avait été creusé d'alvéoles régulières par quelque colonie de ces animaux fouisseurs et communautaires. En approchant on distingue les campaniles de quelques églises blanchies à la chaux et, plus loin, les formes géométriques et verticales de quelques gratte-ciel. Sous un ciel gris et bas un régiment formé en carré rend les honneurs à un groupe d'officiers en tenues kaki qui se dirige vers un appareil militaire à la carlingue et aux ailes peintes d'un vert terne. Tandis que l'avion qui vient d'atterrir roule en ralentissant sur la piste de ciment, ses passagers peuvent voir les cuivres de la fanfare et les reflets jaunes étincelant avec régularité sur les cymbales frappées en cadence. Le bruit des réacteurs empêche d'entendre la musique, mais les mouvements de bras du chef de la clique et les petits soldats de plomb du détachement qui défile au pas de l'oie devant les officiers massés au pied de l'échelle de coupée rythment la musique inaudible. La ville terne, les campaniles et les gratte-ciel sont maintenant masqués par les bâtiments de l'aéroport dominés par une tour quadrangulaire peinte en jaune et au sommet de verre. Dans le sifflement de ses réacteurs l'avion manœuvre pour accoster la jetée. Les musiciens de la fanfare ont cessé de remuer. Les soldats du détachement de parade sont maintenant immobiles.

Au pied de l'échelle de coupée les officiers échangent des saluts dans des attitudes raides. Tenant à la main le rectangle de matière plastique jaune qu'on lui a remis à sa sortie de l'avion, il marche dans un long couloir aux dalles luisantes sur lesquelles se répercutent les claquements des talons des autres voyageurs. Le couloir débouche sur un grand hall. Dans des sièges de cuir noir aux pieds de métal chromé, de rares voyageurs en attente lisent des journaux, fument ou font cirer leurs souliers par des jeunes garçons à la chevelure d'un noir huileux. Derrière un comptoir où se tiennent deux hommes la manche ornée d'un brassard vert, une carte du pays indique les sites touristiques à l'aide de petits disques rouges à côté desquels une grande photo représente soit une église baroque, soit des sommets neigeux ou encore des vestiges de murailles à l'appareil cyclopéen à demi enfouies dans une végétation luxuriante. Au-dehors éclate de nouveau le bruit des cuivres et des cymbales entrechoquées. L'avion couleur de camouflage s'ébranle lentement et se met à rouler en direction des pistes d'envol. C'est au XIXe siècle que l'on commence à s'occuper de la langue cyclopéenne parlée par les formidables monuments oubliés des civilisations d'Amérique. On avait ici et là, dans les premières années du siècle, commencé à écarter à la hache et au pic l'envahissante forêt vierge autour des géants endormis, et c'est avec un regard neuf que l'on put examiner et dessiner ces temples pyramidaux.

Le plus énorme de ces bâtiments se signale par 366 grandes niches et 12 petites qui devaient vraisemblablement abriter des idoles. Ces monuments ne sont pas des tombeaux. Depuis qu'il est assis, les hauts buildings qui l'entourent ont cessé de dériver. D'un seul jet, ou parfois constitués de cubes de tailles décroissantes posés les uns sur les autres comme les marches de pyramides géantes, ils dressent dans la brume décolorée leurs entassements géométriques. Ils sont percés de milliers de fenêtres alignées régulièrement, pas plus grosses que des points aux étages les plus élevés, et impossibles à dénombrer. A mesure que le regard descend leurs intervalles augmentent et elles deviennent plus distinctes. Rangée après rangée, elles composent de fantastiques additions jusqu'aux étages inférieurs où s'empilent les lettres des raisons sociales et des slogans publicitaires, une par fenêtre parfois, courant d'un bout à l'autre d'une façade. Tout en bas, les mots : THE WORLD'S LARGEST STORE s'étalent sur plusieurs étages de hauteur. Les contours des énormes caractères sont peints en rouge, leurs ventres et leurs hampes sont garnis de chaînes d'ampoules électriques allumées en plein jour. Comme si la taille gigantesque des lettres, le rouge, la lumière, étaient encore insuffisants pour attirer l'attention, un jeu d'orgues commande l'arrivée du courant dans les ampoules qui s'allument et s'éteignent successivement, de sorte que le long du slogan une procession de globules scintillants chemine sans fin au-dessus du banc où l'homme à la barbe rousse est à présent complètement affalé. Son buste à l'horizontale repose sur le côté gauche, écrasant le bras gauche replié et dont la main entrouverte dépasse le rebord du banc, le bras droit reposant sur le côté droit, le poing fermé un peu plus bas que la hanche, les deux jambes (entraînées dans un mouvement symétrique à celui du buste quand il a peu à peu pivoté sur la hanche — l'ensemble du corps tendant vers la position allongée) déportées en sens contraire et décrivant à partir du bassin deux courbes légèrement divergentes jusqu'aux pieds nus dans les chaussures sans lacets qui ne reposent que par les talons sur le sol de ciment. Sa chemise vert clair ouverte jusqu'à la taille découvre sa poitrine velue. Maintenant sa tête, dont le sommet repose sur les planches du banc, se trouve dans un axe oblique et le soleil l'éclaire à la façon de ces rampes de théâtre qui inversent sur les visages des acteurs l'ordonnance habituelle des ombres, posant des lumières sur la lèvre supérieure, la base du nez, la voûte de l'arcade sourcilière au-dessus de l'œil. De temps à autre, sans qu'il se réveille, sa main droite remonte d'un mouvement machinal et, relevant un pan de la chemise, gratte son flanc droit dont on voit la peau blafarde. Sur le deuxième banc la dame à la toque de plumes, aux lunettes cerclées d'or et aux gants blancs, est toujours assise comme dans un salon, à côté de l'étudiant qui poursuit sa lecture. Les deux jeunes filles replient leur sac en suçant l'un après l'autre leurs doigts qu'elles essuient ensuite de leurs mouchoirs. Sous leur banc deux pigeons picorent les miettes du repas, puis, l'un suivant l'autre, le jabot en avant, traversent le ciment du square en se dirigeant avec d'imprévisibles crochets jusqu'au banc où il est lui-même assis. Arrivés à ses pieds, et quoiqu'il n'ait fait aucun mouvement, ils s'envolent. Il regarde entre ses deux pieds nus le motif vert, rouge, marron, ocre et gris bleu en forme de crabes hexagonaux hérissés de pattes, de pinces ou d'antennes recourbées. La bordure du tapis est décorée d'une suite de larges tridents, comme de petits arbres stylisés, dont les couleurs accordées à celles des hexagones se détachent sur un fond blanc. Après la bordure il voit le parquet nu et ciré, aux lames en chevrons, puis celui du corridor aux lames parallèles dans le sens de la longueur, d'abord dans l'ombre immédiatement après la porte de la chambre, puis châtain clair dans la zone éclairée qui va s'élargissant à partir de la porte de la salle de bains, doré même à l'endroit où vient se refléter la tache de soleil sur le mur, puis de nouveau dans l'ombre et s'éclaircissant progressivement en arrivant près de la porte de la cuisine au seuil de laquelle commence le carrelage noir et blanc, les diagonales des carreaux dans l'axe du couloir, de sorte que ceux-ci ont, en perspective, la forme de losanges opposés par leurs pointes. L'extrémité de l'un des pieds nus de la femme déborde sur un losange blanc, l'autre est tout entier sur un losange noir, les jambes sont jointes, le bas de la serviette coupe le corps horizontalement au haut des cuisses, la main gauche retient toujours un pan de la serviette près de l'aisselle droite, la main qui tenait le bol s'est abaissée et celui-ci se trouve à la hauteur des seins : tout le visage de la femme est maintenant visible. Il dit Alors, jamais ? Pour se détendre les jambes il erre sans but dans le vaste hall à demi vide au dallage poli et aux fauteuils de cuir noir. Dehors les pelotons qui formaient le carré quittent leur position les uns après les autres et les soldats s'éloignent au pas cadencé mais l'arme à la bretelle. Les musiciens de la clique rengainent leurs instruments dans des housses kaki et quittent à leur tour l'aire d'embarquement qui reste vide, à l'exception de deux ou trois avions des lignes intérieures et le sien, immobilisé au bout de la jetée et autour duquel s'affairent des mécaniciens en combinaison descendus de petites voitures jaunes. Il se rend compte qu'il tient toujours le rectangle de plastique à la main. Il le regarde et lit le mot TRANSITO au-dessus d'un numéro de trois chiffres. Finalement il le glisse dans la poche de son veston. Dans l'un des angles du hall sont disposés plusieurs étalages derrière lesquels se tiennent de ces vendeuses comme on en voit dans les boutiques de mode de tous les pays et du modèle standard malgré leurs cheveux noirs et luisants tirés en arrière et les anneaux qui tintent en oscillant à leurs oreilles. Chacun des étalages propose les mêmes souvenirs pour touristes, constitués principalement par des broches et des pendentifs en métal blanc ou doré imitant les bijoux indigènes et répétant avec de légères variantes de détails ou d'ornements le même visage en bas-relief, soit de profil, avec son œil allongé, son nez puissant, sa bouche aux coins tombants, soit de face, les lèvres alors retroussées dans un rictus laissant voir les dents, la langue pendante. Dans les deux cas il est surmonté d'une couronne de plumes stylisées qui se recourbent en crosses et s'épanouissent en lourds plumets, les oreilles s'ornant de pendentifs formés de disques ou plutôt de meules au centre desquelles est accrochée une pièce mobile, comme le battant aplati d'une cloche. Des colliers à trois rangs s'étagent sur la poitrine, leurs bords externes ornés de protubérances régulièrement espacées qui les font ressembler à des roues dentées. Les masques sont entourés de têtes d'animaux, oiseaux, serpents, jaguars, également stylisées, à l'expression cruelle, pourvues de becs, de dents acérées, et décorées d'ornements purement géométriques, des triangles, des carrés, ou parfois de rangs de perles. Près de l'un des étalages deux vieilles Américaines discutent en anglais avec la vendeuse et l'une d'elles essaie devant une glace l'effet d'un pendentif d'argent sur la peau ridée et rougeâtre de son décolleté. Coiffés de casques peints en blanc, vêtus d'uniformes kaki et chaussés de courtes bottes lacées, deux soldats (ou deux policiers?) déambulent côte à côte d'un pas nonchalant, la dragonne d'une matraque de caoutchouc noir passée à leur poignet. Un étui de pistolet se terminant par une longue lanière est accroché à leur côté. Leurs visages impassibles empreints d'une somnolente cruauté sont d'une couleur terreuse, les yeux comme deux fentes entre les paupières à demi fermées, les pommettes hautes, leur lèvre supérieure épaisse débordant sur leur lèvre inférieure. Sortant de la gaine, on voit les crosses de leurs pistolets ornées de croisillons et un peu de l'acier noir et huileux. Dévoré par la barbe jaune, le visage du chef de la colonne apparaît d'une étonnante blancheur, soit du fait de la photo au tirage trop contrasté, soit qu'il appartienne à cette espèce d'homme d'origine castillane dont la peau semble défier la brûlure du soleil et demeure obstinément claire, blafarde même. Ce que l'on peut voir de ses traits est empreint d'une douceur presque féminine, on dirait même de mollesse si le cadre dans lequel il se meut, la fatigue qui tire la peau sur les os, la volonté farouche du regard, l'effrayant effort que postule cette marche et l'état d'épuisement de la troupe qui le suit ne démentaient une telle interprétation. Quoique s'appuyant sur une simple canne, comme un curiste dans le parc d'une ville d'eau, et que son uniforme soit lui aussi maintenant réduit à l'état de loques, il n'a rien perdu de sa dignité ni, apparemment, de ses forces, comme en témoigne la charge que constituent les deux pistolets mitrailleurs dont les bretelles se croisent sur sa poitrine, superposées aux pesantes ceintures de cartouches qui entourent sa taille. Quelque chose pourtant dans son aspect et dans son maintien — peut-être justement cette trop grande résolution qui l'anime, cette tranquille expression de défi — donne à comprendre qu'il sait déjà (savait peut-être même au départ?) qu'il n'arrivera jamais au terme de son expédition, au but qu'il s'était fixé, et qu'il restera toujours là, embourbé dans l'humus pourrissant de la forêt, condamné mais indomptable parmi les taches noirâtres de l'encre pâteuse d'imprimerie dans ce rectangle bordé de deuil de la page des annonces des cinémas. Le jeune premier replie le papier dont il vient de terminer la lecture et le glisse dans sa poche. Puis il recule sa chaise et se dirige vers la sortie suivi par trois ou quatre autres délégués qui étaient assis à ses côtés. Quelques-uns des auditeurs alignés en rangs d'oignons sur les chaises le long des murs applaudissent. Le petit président les regarde quitter la salle, son visage toujours empreint de la même expression de stupeur incrédule. A ce moment l'un des personnages debout derrière lui se penche et lui frappe discrètement sur l'épaule. Le président semble alors se réveiller, se retourne et saisit la feuille qu'on lui tend. Rajustant ses lunettes il en entreprend la lecture sans se soucier du léger brouhaha des conversations commentant le départ du jeune premier. Ayant achevé sa lecture il appuie sur un timbre. Les conversations s'arrêtent. Tapotant du dos

de l'index la feuille que tient son autre main il dit :
Se me ha sometido una proposición (Je suis saisi
d'une proposition) del compañero... (par notre camarade...) Il s'arrête, se retourne, l'air interrogateur,
vers le personnage placé derrière lui qui se penche
alors à son oreille. Il acquiesce de la tête et reprend :
del compañero Miguel Angel Blasquez (le camarade
Miguel Angel Blasquez) que sugiere (qui suggère) de
pasar imediatamente (de passer immédiatement) a la
discusión de los otros párrafos de la Resolución (à la
discussion des autres paragraphes de la résolution)
dejando provisoriamente de lado (en réservant pro-
visoirement) la redacción del párrafo cuatro (la rédaction du paragraphe quatre). En lo que a mi se refiere
(En ce qui me concerne)... En même temps qu'elle est
descendue sur le mur de la salle de bains la tache de
soleil s'est déformée, ses deux côtés verticaux se rap-
prochant tandis que les côtés supérieurs et inférieurs
se sont inclinés parallèlement, la diagonale qui joint
l'angle inférieur gauche à l'angle supérieur droit s'allongeant, l'autre raccourcissant. La figure tend à
devenir un losange. La femme est toujours debout à
la même place. Ils se regardent dans les yeux. Il
répète Mais jamais ? Jamais ?... Elle fait de nouveau
pivoter légèrement sa tête de gauche à droite, aller et
retour, deux fois. Puis ses lèvres remuent. Elle dit
Nous l'avons toujours su. Il dit Non. Elle dit Si. Nous
le savions depuis le commencement. Toute cette
nuit nous l'avons su. Le soleil est réapparu et le ciel

est absolument vide de tout nuage. Longeant la côte jaunâtre, l'avion survole de nouveau l'océan aux rides immobiles. Le désert offre le même aspect que celui qui s'étendait avant la ville desséchée sous le ciel gris. Peut-être est-il seulement un peu plus sablonneux et les longues dunes en forme d'os de seiche que le vent façonne autour des quelques croûtes rocheuses toutes orientées dans le même sens sont-elles un peu plus larges. Toutefois elles ne doivent pas être très hautes car le mince trait rectiligne de la route qui s'allonge de nouveau à l'infini dans la désolation aride les traverse tout droit, sans s'infléchir pour les contourner, se contentant sans doute de monter puis de redescendre légèrement. Le surjet blanc qui relie le désert minéral au désert d'eau est lui aussi de nouveau immobile. On ne distingue pas le mouvement des vagues se brisant non plus que celui de l'écume qui s'étale sur le sable ou rejaillit contre les roches calcinées. On n'aperçoit aucun navire sur l'océan, aucun miroitement du soleil sur un pare-brise ou une carrosserie qui signalerait la présence d'une automobile suivant la route. Quelques nouveaux passagers sont montés et ils occupent les sièges des voyageurs qui ont quitté l'avion à la dernière escale. Leur mine reposée, leur animation contrastent avec les visages tirés et les yeux aux paupières rougies des autres. Le personnel navigant a aussi été remplacé par une nouvelle équipe. A l'autre extrémité du banc qu'il occupe a pris place depuis un moment un nègre vêtu d'un polo gris clair et d'un pantalon d'un gris plus foncé. Sur sa tête ronde les cheveux drus et noirs sont coupés court. Seule la couleur de sa peau le distingue d'un Européen dont il a le nez droit, à peine épaté, les lèvres presque minces. Moulé dans le plâtre son visage ressemblerait à ces têtes de gladiateurs carthaginois ou peut-être nubiens que l'on peut voir sur les mosaïques romaines. De toute sa personne émane une impression de force contenue, comme de ces corps des gros félins ou des pugilistes au repos. Ses deux mains à la paume rose brique sont croisées sur la cuisse de sa jambe droite passée par-dessus la gauche. Les mouvements de son pied droit qu'il balance par moments avec rapidité, de même que les changements de position rapides de sa tête, qu'il tourne brusquement d'un côté ou de l'autre, contrastent avec son aspect massif et calme et le son puissant de sa voix de basse qui s'élève au-dessus du bruit de la circulation, sans toutefois qu'il crie, lorsqu'il apostrophe soudain l'une ou l'autre des personnes assises sur les bancs ou qui traversent le square. Le ton de sa voix est brusque aussi, hautain, insolent, et semblerait même agressif s'il n'était démenti par l'absence de toute menace dans son maintien et la parfaite immobilité du corps à l'exception du pied qui se lève et s'abaisse de façon saccadée. En dépit de la puissance de son organe, son élocution à la fois rapide et saccadée empêche, dans le grondement des voitures, de comprendre le sens de ses paroles, peut-être ironiques ou moqueuses car l'éclat blanc de ses dents apparaît parfois entre ses lèvres qu'écarte une sorte de sourire. Il est donc possible qu'il ne s'en prenne pas personnellement à ceux qu'il dévisage ainsi et qu'il se contente simplement de parler dans la direction de l'un ou l'autre. Le contraire est aussi possible. Les gens auxquels il semble s'adresser, principalement ceux qui sont assis sur les bancs de la rangée qui lui fait face, le regardent un instant, puis détournent les yeux. Le nègre aux cheveux orange qui continue à aller et venir en gesticulant s'arrête et, interrompant son monologue, le regarde fixement. Pendant quelques instants, tandis que l'autre toujours assis dans sa pose nonchalante l'apostrophe de sa voix de basse, il reste ainsi, interdit, le visage empreint d'une vague incrédulité. Puis, sans répondre, il semble soudain s'en désintéresser et reprend sa marche en élevant et abaissant son bras droit du même geste sec et mécanique, comme chaque fois qu'il repart après une halte. Le proconsul scande du poing ses paroles : ...porque, como lo he dicho (parce que, comme je l'ai dit), es manifestamente inútil (il est manifestement inutile) de comenzar el examen de los otros temas del programa de este Encuentro (d'entreprendre l'examen des autres thèmes au programme de cette rencontre) si para empezar y antes de tratar cualquier otro punto (si d'abord et avant toute autre question) no logramos ponernos de acuerdo (nous ne parvenons pas à nous mettre d'accord) en una definición clara y sin ninguna ambiguedad (sur une définition claire et sans aucune ambiguïté) de la actividad y de la función social del escritor (de l'activité et de la fonction sociale de l'écrivain)! Dans la lumière intemporelle des tubes de néon, les traits des délégués assis des deux côtés de la longue table commencent à se creuser de fatigue. Plusieurs d'entre eux ont enlevé leur veste, desserré leur cravate et déboutonné le col de leur chemise. Sans doute la soirée doit-elle être avancée car depuis longtemps déjà les serveurs qui venaient de temps en temps vider les cendriers et renouveler l'eau des carafes ont cessé leurs apparitions. Plusieurs des carafes sont vides. Les délégués sont parfois obligés de se lever pour aller emprunter à des voisins plus ou moins éloignés une des carafes à demi remplie d'une eau maintenant tiède et d'une consistance visqueuse aux palais brûlés par la fumée des cigares ou des cigarettes. Pour les écraser sur le fond des cendriers, il faut écarter les mégots qui les remplissent et dont quelques-uns tombent sur le tapis vert maculé à présent de traces de cendres. Le petit président a relevé ses lunettes sur le haut de son front et elles débordent en partie sur ses cheveux, ce qui donne à son visage fatigué l'aspect de ces masques tirés des vieux coureurs cyclistes à l'arrivée d'une compétition. Si comprobamos que somos incapaces (s'il s'avère que nous sommes incapables) de ir más allá de esta condición prévia básica (de dépasser ce préalable de base), entonces cualquiera discusión sobre tal o cual punto secundario es perfetamente inútil (alors toute espèce de discussion sur l'un ou l'autre des points secondaires est parfaitement inutile), y, en lo que a mi se refiere, creo que en esas condiciones (et, en ce qui me concerne, je pense que dans ces conditions), la única conclusión lógica sería de redactar un acta (l'unique conclusion logique sera de rédiger un procès-verbal) que consigne nuestro desacuerdo (prenant acte de notre désaccord) y ponga el punto final a esta reuniôn (et mettant un point final à cette réunion)! L'étendue bleue striée de rides parallèles s'élargit sans cesse entre la côte et l'avion dont la ligne de vol, qui forme avec le rivage un angle aigu, s'écarte progressivement. On ne distingue déjà plus très bien la frange d'écume. Le désert est devenu une bande jaunâtre derrière laquelle se profile la haute chaîne des montagnes. Les deux jeunes filles ont maintenant fini de ranger leurs affaires dans le sac. L'une d'elles tapote à petits coups sur sa jupe pour en faire tomber des miettes. Une boule de papier froissé dans l'une de ses mains, l'autre cherche des yeux une corbeille publique où la jeter. N'en découvrant pas, elle se baisse et fourre sous le banc le papier en boule qu'elle s'est encore efforcée d'aplatir en l'écrasant. Dès qu'elle l'a lâché, ses plis se détendent, d'abord brusquement, puis continuent à s'ouvrir, soit d'un mouvement lent et continu, soit par d'imperceptibles et courtes saccades comme, au cinéma, ces bourgeons ou ces fleurs dont on a filmé l'éclosion à une cadence qui en accélère le processus. Le docteur a fini de commenter son ordonnance. Il la plie alors en deux et tend son bras au-dessus du bureau pour la déposer devant le malade. Tandis que celui-ci sort de sa poche quelques billets de banque et les pose à son tour sur le bureau, le dièdre formé par l'ordonnance s'ouvre légèrement. Le docteur ne semble pas voir les billets ornés de dessins compliqués et dont la teinte générale est orangée. Les plis des billets marqués depuis longtemps ne s'ouvrent pas. Seul l'un d'eux, qui était plié en quatre, forme un dièdre droit, dont l'un des côtés repose à plat sur la surface du bureau garnie d'un cuir vert olive à liséré d'or. Le docteur se lève et écarte l'un de ses bras en direction de la porte. La dame en rose berlingot enfile un de ses longs gants blancs, se lève, et, son sac de cuir blanc à la main, se dirige vers la sortie du square. Le nègre à tête de gladiateur sort de sa poche un objet rond et plat qu'il tient dans le creux de sa paume. De sa voix de basse il parle lentement en le fixant, le maintenant à hauteur de ses yeux, puis le porte à ses lèvres et l'embrasse brusquement, deux ou trois fois. Dans le geste qu'il fait ensuite pour le remettre dans sa poche, il manque celle-ci ou en accroche l'ouverture et l'objet tombe à terre, jetant un bref éclat de lumière réfléchie. C'est un petit miroir bon marché d'environ six centimètres de dia-mètre. Le dos du miroir est décoré d'une photo de femme nue tirée sur un papier (ou une feuille de matière plastique) rose et brillant. Du bas de sa manche, il essuie le miroir recto verso et avant de le remettre dans sa poche lui parle et l'embrasse encore une fois. Comme sa large main cache entièrement l'objet il est impossible de savoir s'il embrasse sa propre image réfléchie ou la femme nue, et à laquelle des deux faces s'adressent ses paroles. Le trafic sur l'avenue ainsi que la foule qui se croise sur le trottoir au-dessous des lettres-réclames du plus grand magasin du monde sont toujours aussi denses. A l'intérieur des ventres et des hampes des caractères géants les scintillements lumineux des ampoules qui s'allument et qui s'éteignent continuent à se poursuivre. Peut-être leur éclat est-il un peu plus vif. Cependant l'intensité de la lumière blanchâtre dans laquelle baignent les hautes façades des gratte-ciel ne s'est pas sensiblement modifiée, la même faible nuance entre les couleurs (bleu pâle et jaune citron), et non les valeurs, différenciant seule les plans dans l'ombre ou dans la lumière. Sur le mur de la salle de bains la tache géométrique de soleil s'étirant de plus en plus sur l'une de ses diagonales tend de plus en plus à dessiner un losange, mais là aussi il est difficile d'évaluer avec exactitude les progrès de sa déformation qui s'effectue avec une infinie lenteur. Quand il se lève pour se diriger vers la sortie du square située à la pointe de l'angle aigu, il peut encore une fois entendre dans son dos la voix puissante du nègre dont la tête est sans doute tournée dans sa direction et qui semble lui crier quelque chose, mais il ne se retourne pas. Franchi le portillon il se retrouve au carrefour des deux avenues qui se coupent en sifflet et de la rue qui les croise à leur point d'intersection, à angle droit avec l'une d'elles. Il voit donc de nouveau s'ouvrir devant lui la profonde tranchée plus encaissée que celles des avenues et qui continue en ligne droite sur plusieurs kilomètres jusqu'à l'endroit où elle débouche sur le fleuve et, tout au fond, les trois hautes cheminées peintes, près de leurs sommets, de bandes horizontales, alternativement blanches et rouges. Après l'espace plus ouvert du carrefour, le long couloir semble plus resserré encore et les néons y brillent d'un éclat rouge et rose incontestablement plus vif que les lettres lumineuses du grand magasin. Comme avant le croisement, la rue est bordée de chaque côté par une succession d'immeubles hétéroclites, les façades de buildings moyens, de gratte-ciel ou de maisons à peine hautes de trois ou quatre étages alternant au hasard des démolitions et des reconstructions de même que se succèdent de luxueuses vitrines aux châssis d'acier et de petits magasins désuets où les marchandises sont exposées ou plutôt simplement déballées et empilées sans aucun souci de présentation. Parmi la profusion désordonnée des enseignes qui, de nouveau, vues ainsi en enfilade, se chevauchent et se superposent, son œil cherche tout de suite la marquise de son hôtel, le parallélépipède plat en verre dépoli et métal chromé qui déborde au-dessus du trottoir et dont ne le sépare plus maintenant qu'une courte distance. Très vite cependant, il éprouve la même sensation de vertige qui l'avait forcé à faire halte sur le banc du square, et le décor extérieur recommence à glisser et à se balancer. Le trottoir sur lequel il avance est recouvert d'une épaisse couche de cette matière grisâtre (dont la consistance, quoique tiède, rappelle celle de la neige) accumulée peu à peu dans le salon d'attente du docteur. Montant jusqu'au genou, elle rend la progression difficile et chaque enjambée nécessite un effort qui le déséquilibre plus ou moins, comme quelqu'un englué dans un marécage ou avec les chevilles entravées. Quoiqu'il s'efforce toujours de garder un visage calme et de suivre une ligne droite il ne peut sans doute s'empêcher de tituber légèrement car dans les yeux des passants qu'il croise il peut lire comme un bref étonnement, parfois réprobateur, avant qu'ils se détournent avec indifférence. L'abondance des bars dont les enseignes se multiplient dans cette portion de la rue explique peut-être pour eux ce que son allure et son visage peuvent avoir d'étrange. Comme si elle avait aussi attendu qu'il se remette en mouvement, la sueur s'est remise à sourdre et coule le long de son dos, entre ses épaules et sur ses flancs. Les quelques survivants qui cheminent dans la forêt ne constituent plus ce que l'on peut appeler une troupe. Ils s'égrennent, loin maintenant les uns des autres, séparés parfois par des espaces considérables, soit isolés, soit par groupes de deux ou de trois qui s'entraident mutuellement. Plus rien n'indique qu'il s'agit de soldats ni d'hommes en état de combattre, sinon peut-être encore pour se défendre individuellement, car ils ont abandonné toutes les armes tant soit peu pesantes pour ne conserver que de légères carabines ou parfois même seulement un pistolet. La poitrine du chef lui-même n'est plus barrée que par une seule bretelle de cuir. De temps en temps il s'arrête, se retourne, et attend que se rapprochent les silhouettes titubantes, décharnées et presque nues qui s'échelonnent loin derrière lui, grandissent et se précisent en approchant. Tandis qu'ils avancent on distingue peu à peu, de face : A : le dedans de l'Épaule. B : l'Os du Bras sans chair. C : l'un des Fléchisseurs du Coude. D : le Brachial (qui prend son origine du milieu ou environ de l'Os du Bras, y étant fortement attaché, & va s'insérer par un large Tendon par-dessus le Biceps à la partie supérieure de l'Os du Coude). E : le Long supinateur du Rayon. F : le Rond Pronateur du Rayon. G H : les Fléchisseurs des doigts. I : le Grand Dentelé. K : le Droit. L : le Transversal (qui vient de l'Os des Isles, & va finir à la Ligne Blanche). M : le Sternum. P : l'Os du Coude dépouillé de ses muscles. Q : l'Os du Rayon. R : le Vaste externe. S : le Vaste interne. T : le Crural (est attaché à l'Os de la Cuisse, comme le Brachial à l'Os du Bras : il prend son origine entre les deux Trocanters, & va envelopper la Rotule, ne faisant qu'un Tendon avec le Droit et les 2 Vastes). U : le Triceps. X : le Grand Trocanter. Y : Portion du Tendon du Vaste externe. Z : Portion du Tendon du Droit. *a b c* : Extenseurs des Orteils. *d* : l'Os de la Jambe dépouillé de ses muscles. *e f* : les Fléchisseurs des Orteils. Arrivés à hauteur du chef, les premiers se laissent tomber à terre et restent assis sans rien dire, ou parfois s'étendent de tout leur long sur le sol. Quand ils ont retrouvé quelques forces ils resserrent tant bien que mal autour d'un de leurs membres un linge crasseux et grattent leurs peaux couvertes de croûtes, de plaques roses ou rouges, suintantes. Certains insectes, certaines larves presque invisibles s'introduisent dans les orifices du corps, les narines, les canaux lacrymaux, l'anus ou l'urètre et, remontant les conduits, s'installent dans les tissus, provoquant des abcès internes et des douleurs intolérables, quelquefois la cécité. D'autres s'incrustent entre les orteils, gorgeant de sang la poche grisâtre en forme de sac qui constitue leur corps. Occupés à arracher leurs parasites ou à soigner leurs plaies, les hommes ne prêtent même plus attention aux paroles du chef qui s'efforce de leur redonner confiance. Il déploie alors une carte grossière qu'il étale avec précaution et sur laquelle il cherche à s'orienter. La carte est quadrillée de plis le long desquels le papier détrempé par la sueur ou l'humidité s'est fendu, de sorte qu'elle est composée de rectangles qui ne tiennent plus les uns aux autres que par quelques points où le papier résiste encore, menaçant de se rompre. Sur cette sorte de damier aux cases jaunies, des lignes incertaines, comme tracées par une main débile, dessinent les cours des rivières et l'orientation des chaînes de collines, mais de vastes espaces sont vierges de toute indication et sur le parchemin se découpent seulement, comme les côtes d'îles ou de continents, les contours boursouflés des taches de moisissures. Parfois le chef appelle auprès de lui l'un des porteurs indigènes qui se penche, le visage crispé par l'effort qu'il fait pour comprendre sans y parvenir la signification des dessins que forment les lignes hésitantes. Alors, après avoir replié et rangé la carte, le chef compte du regard les hommes affalés. A chaque halte ils sont moins nombreux. Il patiente encore, ses yeux scrutant aussi loin qu'ils le peuvent le chemin suivi, le trou sombre, là-bas, d'où le dernier est sorti et où ne bougent plus maintenant que les taches bigarrées de quelques papillons. Au bout d'un moment il renonce, donne le signal du départ, et s'éloigne sans se retourner. L'un après l'autre les hommes se lèvent et la théorie titubante des corps décharnés se remet en marche. Bientôt les espaces s'agrandissent de nouveau entre eux mais, comme le chef, aucun ne tourne plus la tête pour regarder derrière lui. Des couronnes irrégulières gris pâle entourent maintenant sur le tapis vert les cendriers débordants de cigarettes et de cigares écrasés. Une écharpe lisse, horizontale et légèrement ondulée stagne dans la vaste pièce au-dessus des têtes des délégués dont presque tous sont en manches de chemise, le col largement ouvert, le nœud de leur cravate descendu sur leur poitrine. Dans leurs fauteuils, ils ont des poses relâchées ou même franchement abandonnées, quelques-uns renversés en arrière, leurs jambes écartées étendues sous la table, d'autres tassés sur eux-mêmes, affaissés, soutenant leur front d'une main. Sans prêter attention à l'orateur, certains ont rapproché leurs sièges, faisant cercle, discutant par petits groupes en secouant avec indifférence la cendre de leurs cigares sur le plancher. Certains pourtant continuent à noircir fiévreusement des feuilles de papier qu'ils raturent et se communiquent à travers la table. Presque tous les observateurs sont partis, sauf un petit nombre de journalistes qui d'ailleurs semblent avoir renoncé à prendre des notes. C'est à présent une femme qui parle. Ses cheveux sombres sont coupés à la Claudine, elle porte un col d'écolière empesé et une cravate rouge à pois blancs aux coques bouffantes. Ses ongles manucurés et rouges sont taillés en amande. Son visage maquillé discrètement mais avec soin, déjà fané, presque masculin, contraste avec sa tenue d'écolière. Tout en parlant elle tapote nerveusement du capuchon de son stylo les feuillets étalés devant elle. Por lo que a mi me concierne (Quant à moi), estoy dispuesta a votar (je suis prête à voter) el texto del párrafo cuatro propuesto inicialmente por el Grupo de Trabajo (le texte du paragraphe quatre proposé initialement par le groupe de travail), es decir (c'est-à-dire)... Elle s'interrompt et cherche dans ses papiers. Quelques délégués l'imitent. La plupart ne se dérangent même pas. Elle prend une feuille, se trompe, la repose, en prend une autre et se met à lire : El escritor se define politicamente (L'écrivain se définit politiquement)... Le proconsul romain, lui aussi maintenant en manches de chemise et le buste renversé en arrière, retire de ses lèvres le gros cigare qu'il mâchonnait et dit de sa voix de basse Esta bien, esta bien. Lo conocemos todos : proposición número uno (Ça va, ça va ! Nous connaissons tous : proposition numéro un). L'écolière fanée s'arrête, interdite, et lui lance un regard noir. Esta bien. ¡ Continúe ! dit le proconsul. Es inútil de leer una vez más esta proposición. ¡ Es el número uno ! ¡ Esta bien, esta bien ! ¿ Y en seguida ? (Inutile de lire une fois de plus cette proposition. C'est la numéro un. Ça va, ça va ! Et ensuite ?) Autour de la table plusieurs délégués approuvent le proconsul, quoique avec mollesse, comme si même la simple manifestation d'une approbation ou d'une désapprobation exigeait maintenant un effort à la limite de leurs forces. Le proconsul sourit à la déléguée, comme pour s'excuser, lui montre du doigt le cadran de la montre-bracelet qui entoure son énorme poignet velu et dit Si continuamos así, estaremos aun aquí a la cinque de la mañana !... (Si nous continuons comme ça nous serons encore ici à cinq heures du matin !...) Paralysée par la fureur, la femme continue à fixer sur lui pendant un instant son regard noir, puis, soudain, se tourne d'un bloc vers le petit président et, négligeant le micro, crie de toutes ses forces ¡ Señor Presidente ! Sous l'avion il n'y a maintenant plus que la surface unie, faiblement ridée, de l'océan. Tout au loin, du côté où se trouvait la côte, on n'aperçoit qu'une étroite bande ondulée, d'un brun mauve, dont les sommets se profilent sur le ciel pur. Aucune modification à la surface de l'océan ni dans la découpe aplatie des montagnes ne rend sensible l'avance de l'avion qui semble se tenir immobile au-dessus de l'immense étendue bleue bordée par le mince feston lilas. Rouges, roses, ou parfois vertes sur le fond gris de la rue, ou montées sur des panneaux noirs afin d'être plus voyantes, les poussiéreuses enseignes de néon semblent glisser l'une après l'autre pour reparaître un peu plus loin, comme les acteurs de ces jeux d'enfants où le premier de la file court se remettre, selon l'amende encourue ou quelque règle secrète, à deux, trois, quatre ou six places en arrière, bientôt démasqué par ceux qui l'ont remplacé et qui rétrogradent à leur tour, et ainsi de suite. LIQUORS - REPARING SHOES - ARENA BAR - DANCE - LIQUORS - SHINE WHILE « U » WAIT - BARBER - CLEANING - LIQUORS - CROWN BAR - KENTUKY BAR - DIAMOND. L'extrémité de la rue qui débouche sur la brume blanchâtre de l'océan recule au fur et à mesure qu'il avance. Dans les vaisseaux mauves, roses, lilas, pourpres qui se croisent entre les organes marbrés ou se ramifient sous la peau transparente, le sang vient battre et se rue avec un bruit de cataracte ou de catastrophe. Quelque part l'oiseau rieur, toujours le même semble-t-il, continue de loin en loin à faire entendre son cri. Leur volonté tout entière rassemblée pour faire mouvoir leurs jambes, les marcheurs épuisés ne tressaillent même plus lorsque parfois un serpent ou quelque bête détale sous leurs pas, ne prêtent plus attention, sauf si leur taille en fait un gibier possible, aux animaux qui peuplent la forêt. Souvent, parmi les taches éclatantes qui dansent devant leurs yeux envahis de pus ou troublés par le manque de sommeil, ils ne sont plus capables de distinguer entre les papillons géants et certains oiseaux. Les uns comme les autres ont des couleurs incrédibles, des dimensions incrédibles. Immobiles et impondérables dans les ténèbres vertes, de minuscules diaprures semblent suspendues par un fil invisible. Le battement des ailes est si rapide qu'il nimbe d'un halo flou leurs formes à peine renflées couvertes de plumes aux teintes métalliques et minérales, bronze, émeraude, topaze, rubis. Passant par à-coups brusques d'une fleur à l'autre, ils s'immobilisent de nouveau dans le même halo de plumes rapides, plongeant sans cesser de voler leurs longs becs dans les calices profonds. D'autres, à peine plus gros, ont un poitrail bleu ardoise, un ventre olive, des ailes couleur noisette, une longue queue bifide d'un gris d'acier. Acrobates aériens, crochets, piqués, vol au point fixe sont leurs exploits de tous les instants. Ils aspirent le nectar des fleurs, mais capturent aussi beaucoup d'insectes. Posés sur une branche, ils restent à l'affût et, quand une mouche ou un petit papillon passent à leur portée, ils bondissent sur leur proie qu'ils saisissent au vol entre leur bec. De même que le cacatoès huppé, ils semblent être les fruits de l'imagination aberrante d'un peintre. A leur vue, comme à celle des végétaux monstrueux ou des serpents géants, certains des marcheurs se croient, dans leur épuisement, la proie d'hallucinations et délirent à voix haute. Leurs discours incohérents, les blasphèmes, leurs récriminations, se perdent dans l'air épais enfermé sous la voûte des arbres. Parfois éclate une querelle dont aucun ne pourrait dire l'objet et qui s'extériorise par des injures jaillies des bouches édentées, des gestes de menace, les voix exténuées s'éraillant, mourant dans une toux, un vomissement de sang, les bras aux poings tendus retombant sans force. Trompé par un effet d'optique, il se penche sur le côté, allonge le bras au-dessus de la table tout en disant ¡Excusa! et atteint la carafe posée devant le délégué qui siège à sa droite, après un fauteuil vide. Du goulot incliné au-dessus de son verre ne tombe qu'un maigre filet d'eau aussitôt tari. L'interprète lui propose d'aller chercher une bière au bar. Il proteste d'abord, puis dit Si vous voulez merci, en se fouillant pour trouver un billet, mais l'interprète est déjà parti. Jetant de temps à autre des regards furieux en direction du proconsul, la déléguée en tenue d'écolière poursuit, tournée vers le président, un discours volubile et véhément où il est question de débats truqués, d'obstruction systématique, de fuite devant les responsabilités, et termine par la menace de se retirer. Le petit président qui l'a écoutée en la regardant d'un air navré par-dessus ses lunettes fait alors un mouvement de la main qui peut passer pour un geste d'invite, d'assentiment ou de résignation. Elle lance alors au proconsul un regard de triomphe, attire le micro plus près d'elle et dit : Este es el texto inicial : el escritor se define politicamente en la medida que tiene existencia social, también... A ce moment l'interprète reprend sa place, se penche et chuchote Le bar est fermé. ...lo hace por medio de su silencio o su ambigüedad. Il ne s'est non plus produit aucune modification sensible dans le parallélogramme de soleil sur le mur de la salle de bains qui continue à s'étirer mais ne forme pas encore tout à fait un losange. Y esta es la frase que yo propongo de añadir inmediatamente a continuación para completar este párrafo cuatro (Et voici la phrase que je propose d'ajouter immédiatement à la suite pour compléter ce paragraphe quatre) : Prenant alors une autre feuille de papier couverte d'une écriture raturée posée devant elle, la déléguée articule avec lenteur : Esta definición (cette définition) no supone necesariamente (n'implique pas nécessairement) una literatura de partido (une littérature de parti) la cual no agota por cierto (qui certainement n'épuise pas) el significado politico de la obra literaria (la signification politique de l'œuvre littéraire). Elle se tait et promène son regard sur les visages fatigués des délégués. Deux d'entre eux lèvent la main pour attirer l'attention du président. Une nouvelle fois le proconsul consulte ostensiblement le cadran de sa montre-bracelet puis, fichant entre ses lèvres le bout mâchonné de son cigare, il en tire une longue bouffée et se renverse plus encore dans son fauteuil, concentrant toute son attention sur les nuages de fumée qu'il regarde s'élever en tournoyant vers le plafond. Du geste le président donne la parole à l'un des deux postulants. Me parece, dit celui-ci (Il me semble) que esta interesante proposición (que cette intéressante proposition)... Un oiseau au bec noir, aux pattes noires, au dos noir, à la tête couverte d'une calotte jaune, au jabot orangé et au ventre jaune parsemé de taches noires est perché sur une branche morte où subsistent des plaques d'une écorce grise et rugueuse. Les Barbus, ou Capitonidés, sont des oiseaux tropicaux qui appartiennent à l'ordre des Piciformes; ils doivent leur nom aux longs cils sensoriels ou vibrisses (plumes modifiées) qu'ils portent autour de leur bec et qui forment vague-ment une barbe. Le Barbu orangé a la taille d'un merle. Ils habitent les forêts ou les savanes boisées, creusant leurs nids dans le bois d'arbres attaqués par des insectes ou des champignons, c'est-à-dire peu résistants. Ils se nourrissent d'insectes ou de fruits. Ils poussent des cris puissants, longuement répétés. (Vélin du Muséum national d'Histoire naturelle peint par de Vailly. Vol. 80, n° 54.) Un résumé du texte français traduit en anglais et tapé à la machine est disposé à côté de l'image. De l'autre côté de la vitrine est exposée la reproduction d'un autre vélin. La légende en français, accompagnée elle aussi, sur une feuille à part, de sa traduction en anglais, dit : Ce magnifique oiseau, d'un rouge orangé éclatant, vit dans les forêts de l'Amérique du Sud. Le mâle, représenté ici, porte sur le devant de la tête une crête de plumes disposées en éventail. La femelle a une livrée moins ornée, brun uniforme. Lorsque vient la saison des amours, les mâles s'assemblent, adoptent un territoire dégagé et débarrassé de branches mortes ou de tout autre débris, le plus souvent sous les arbres où les Coqs de roche viennent chercher leur nourriture. La parade a lieu de préférence le matin. Un vieux coq donne le branle en se laissant tomber du haut d'une branche sur le sol. Dès l'aube, il fait de grands sauts sur place, déploie les ailes, étale sa queue en éventail. Un, puis tous les autres mâles (jusqu'à sept ou huit) l'imitent et exécutent leur « saltarelle » pendant plusieurs minutes. La signification de cette pantomime n'est pas claire. Parade nuptiale excitant les femelles et les conviant à l'accouplement, ou parade stimulant par des images particulières l'hypophyse et, secondairement, l'ovaire et la ponte ? On ne sait. Le déroutant, c'est que les mâles continuent à danser alors que les femelles ont pondu, couvé, et que leurs œufs ont éclos (Aquarelle tirée de l'ouvrage de Francis Levaillant *Histoire naturelle des Oiseaux de Paradis*, tome I, planche 51). Entre les deux images le centre de la vitrine est occupé par divers objets : poteries aux décors géométriques, statuettes en terre cuite, rougeâtres ou ocre, représentant des personnages à la peau lisse et tendue par la graisse, accroupis, la tête légèrement renversée en arrière. Ils ont des yeux en grains de café qui ne laissent entre les paupières qu'une fente pour le regard, des visages plats, des lèvres d'une somnolente cruauté. Des ornements de plumes multicolores ainsi que quelques morceaux d'étoffes tissées à la main complètent la décoration de la vitrine où, sur la gauche, une jeune femme en contre-plaqué découpé, grandeur nature, revêtue d'un uniforme bleu marine et d'un poncho rouge, présente dans l'une de ses mains la maquette d'un avion en métal chromé. Un peu en arrière des poteries indigènes est installée, reposant sur deux chevalets de bois, une grande maquette du même avion dont une partie du fuselage a été découpée, de sorte qu'à l'intérieur on peut voir de petites figurines d'hommes et de femmes assises sur les sièges tendus de drap bleu. Au-dessus de l'avion et occupant le milieu de la vitrine se trouve un panneau vertical, un peu plus haut que l'hôtesse de contre-plaqué, sur lequel se trouve la reproduction d'un portulan où est représenté le continent américain. Les formes en sont plus trapues que sur les cartes modernes mais néanmoins très reconnaissables. Leurs contours sont découpés d'encoches qui s'enfoncent en coins, se prolongent parfois en golfes aux rives dentelées à l'intérieur des terres où les noms des mouillages, des fleuves, des baies sont tracés en caractères gothiques à l'encre rouge ou noire perpendiculairement au rivage. Écrits en lignes parallèles ou faiblement divergentes, parfois resserrées, parfois largement espacées, ils forment comme une frange irrégulière le long de l'océan. Toute indication cesse à peu de distance de la côte en même temps que s'estompe la bande verte qui la borde, laissant place à la teinte jaunâtre du parchemin sur lequel sont peints des bouquets de palmiers, d'arbres touffus, des perroquets rouges, des singes, des dragons ailés, des oiseaux bleus ou bruns, des marais, des rivières méandreuses et des hommes aux corps noirs ou brique occupés à ramasser du bois, faire du feu, danser en cercles ou chasser, armés d'arcs, de flèches et de boucliers, soit entièrement nus, soit vêtus de pagnes, de manteaux et de coiffures faites de plumes alternativement vertes et orangées. Depuis un moment l'avion s'est engagé au-dessus d'une couche de nuages aux faibles reliefs et assez mince, une plaque plutôt, qui s'étend à perte de vue vers le large et s'arrête à gauche, coupée net, en une ligne rigoureusement droite, comme le bord d'une table, à peu près parallèle à la côte. Au-delà on peut voir l'océan qui s'est maintenant légèrement grisé. A l'horizon la mince ligne ondulée d'un brun lilas que dessinait la haute chaîne de montagnes a disparu. Le hublot, qui a la forme d'un rectangle aux coins arrondis encadré d'une moulure de matière plastique, est divisé en deux parties à peu près égales par la ligne de l'horizon. La moitié inférieure est occupée, en bas, par l'étendue blanche du plateau de nuages au-dessus de laquelle semble peinte, comme une plinthe, une bande gris bleu. La moitié supérieure est tout entière emplie par le ciel d'un bleu très pâle, absolument pur, où rien ne permet de soupçonner l'existence des invisibles constellations, des monstres composites mi-hommes mi-chevaux, mi-boucs mi-serpents, des crabes aux pinces grandes comme des chaînes de montagnes, des déesses et des géants. Quelque part cependant, solitaire et aveugle dans le vide immense, Orion poursuit sa marche. De la main droite il tient par le milieu un arc dont les extrémités se relèvent en S. Un carquois cylindrique de bronze pend à son côté. Pour rendre l'éclat du métal, le peintre a posé sur son couvercle une épaisse touche jaune citron et un reflet d'un jaune plus éteint s'allonge sur l'une des génératrices du cylindre. Le géant s'avance sur le chemin entre des rochers et des souches déchiquetées d'arbres abattus par quelque tempête. Ses pieds musculeux, comme sculptés dans un marbre rougeâtre où courent des lacis de veines, sont aussi grands que les souches aux racines convulsives, à l'écorce écailleuse. A quelques pas devant lui le chemin plonge et disparaît dans le repli de terrain où se tiennent les deux petits personnages dont dépassent les bustes. A cette dépression succède une colline herbue au sommet couronné d'arbres, puis un lac (ou le fond d'un golfe ?) que l'on voit luire entre les masses opulentes des feuillages, puis, sur l'autre rive du lac, un nouveau bouquet d'arbres. A la vitrine de la compagnie aérienne succèdent dans un vague brouillard un entrepôt aux vitres dépolies, un magasin de confection pour hommes, un immeuble d'habitation sans boutiques, un bar, un marchand de chaussures, une blanchisserie, une échoppe où l'on vend des hot-dogs et du Coca-Cola. Tout au fond, le bout de la longue tranchée de pierre et de briques où les trois hautes cheminées fument lentement dans le ciel blanc recule sans cesse. Escaladant la colline que l'on aperçoit dans le lointain, sur la gauche du tableau et déjà touchée par les rayons du soleil levant, le chemin que suit Orion resurgit en une mince ligne claire qui s'élève en serpentant. Après avoir dessiné pendant une fraction de seconde un losange parfait, le parallélogramme citronné que le soleil de plus en plus haut au-dessus de la cime des pins projette sur le mur de la salle de bains commence à s'amincir, ses côtés supérieurs et inférieurs raccourcissant en même temps que ses côtés verticaux se rapprochent lentement. Une fois ressentie la légère secousse du départ, rien n'indique que la cabine de l'ascenseur aux portes fermées s'élève, sauf les chiffres disposés sur une ligne non pas verticale mais horizontale au-dessus des deux panneaux d'acier hermétiquement joints, comme ceux d'un coffre-fort, et qui s'allument et s'éteignent 2 3 4 5 6 7 8 9 10 11 12 13 14 15 16 17 18 19 20 21 22 23 l'un après l'autre. Appuyé contre la paroi du fond il peut voir sa silhouette imprécise reflétée sur la surface du métal poli. Presque toutes les chaises alignées le long du mur de la salle des débats et réservées aux auditeurs sont vides. Quelques-unes ont été rapprochées des cercles formés par certains délégués avec lesquels discutent leurs occupants sans prêter attention à l'orateur qui, penché vers son micro, lit d'une voix monotone une longue déclaration. La nappe de fumée bleuâtre semble avoir encore épaissi et s'être abaissée sous son poids comme un plafond qui s'affalerait lentement, réduisant encore le cubage d'air déjà difficilement respirable. Dans un coin un journaliste parle à voix basse à l'une de ses confrères dont il a entouré les épaules de son bras. La jeune femme a toujours son bloc appuyé sur sa cuisse croisée mais la main qui tient le stylo ne remue plus. Un vague sourire sur les lèvres, elle écoute ce que lui dit son compagnon. Quelques-uns des délégués sommeillent, d'autres feuillettent sans conviction les journaux du soir qu'ils ont déjà lus, ou, tassés sur leurs sièges, fixent de leurs yeux aux paupières rouges le tapis vert de la table souillé de cendres. Il semble qu'une lueur grise commence à filtrer entre le côté de l'une des fenêtres et le bord mal joint (peut-être dérangé par le frottement d'une chaise) du rideau de velours qui l'aveugle. Un de ses bras tendus en avant, tâtonnant dans le vide, Orion avance toujours en direction du soleil levant, guidé dans sa marche par la voix et les indications du petit personnage juché sur ses épaules musculeuses. Tout indique cependant qu'il n'atteindra jamais son but, puisque à mesure que le soleil s'élève, les étoiles qui dessinent le corps du géant pâlissent, s'effacent, et la fabuleuse silhouette immobile à grands pas s'estompera peu à peu jusqu'à disparaître dans le ciel d'aurore. Aucune annonce de l'aube ne filtre par ailleurs aux autres fenêtres qui s'ouvrent à intervalles réguliers entre les fûts cannelés des fausses colonnes et qu'obstruent les lourds rideaux marron. A intervalles réguliers, des portes identiques, d'un bois marron et verni, s'alignent des deux côtés du long couloir aux murs peints d'une couleur crème, au sol recouvert, jusqu'à la hauteur des genoux, de l'omniprésente matière grisâtre, épaisse, visqueuse plutôt que neigeuse, qui rend la marche difficile et étouffe le bruit des pas. Une coupe longitudinale pratiquée derrière l'un ou l'autre des murs dans la suite des chambres qui se succèdent à droite et à gauche permettrait de voir les pièces toutes semblables, aux mobiliers identiques, les unes vides, les autres occupées par des hommes ou des femmes, certains en train de se laver les mains ou de se brosser les dents, d'autres défaisant ou refermant des valises, d'autres écrivant des lettres, d'autres encore assis dans les fauteuils ou étendus déchaussés sur les lits en train de feuilleter des journaux ou des magazines. Les rectangles des portes continuent à se succéder régulièrement jusqu'à l'extrémité du couloir qui tourne à angle droit, le regard découvrant alors un autre couloir identique au premier et bordé à droite et à gauche par les mêmes portes marron régulièrement espacées. Englués dans l'épaisseur visqueuse qui recouvre le sol, les pieds se portent successivement l'un devant l'autre avec difficulté. Par moments les deux parois du couloir semblent se rapprocher, puis s'écarter, ou s'inclinent en ondulant, le sol ondulant lui aussi, et il est difficile de conserver son équilibre. Parfois même, pour ne pas tomber, il est obligé de s'appuyer d'une de ses mains sur l'une ou l'autre des parois et de s'arrêter en reprenant son souffle jusqu'à ce que les murs cessent de bouger et reprennent leur verticalité. Le jeune journaliste se penche un peu plus vers sa compagne, lui parle un moment à l'oreille, puis l'embrasse sur le coin de la bouche qui continue à sourire. Toujours debout à la même place sur le carrelage à damier noir et blanc de la cuisine la femme a repris le bol et l'a de nouveau élevé jusqu'à ses lèvres. Pour faire glisser les dernières gouttes de café dans sa gorge elle incline fortement le bol dont il peut voir maintenant par-dessous la base circulaire qui, sous cet angle, dessine une ellipse. La femme continue à le maintenir ainsi bien après qu'elle a cessé de boire, dissimulant entièrement son visage, sauf le front. Au bout d'un moment elle l'abaisse un peu et les yeux aux prunelles marron apparaissent, regardant fixement devant elles. Toutefois, entre le bord des paupières inférieures et le liséré vert qui décore le pourtour du bol, on découvre une mince bande du visage. Deux lignes brillantes, argentées, descendent verticalement à partir des gouttes accrochées aux cils où un éclat de lumière tremble légèrement. Les lignes brillantes réapparaissent au-dessous du bol, encadrant le menton, comme si elles coulaient des coins des lèvres. Peu à peu le parallélogramme de soleil se resserre entre ses côtés verticaux, au point de ne plus former bientôt qu'une barre de plus en plus étroite. L'extrémité inférieure atteint le carrelage et se casse brusquement vers la droite en s'allongeant sur celui-ci. La tache dessine maintenant un angle obtus dont, un moment plus tard, les côtés ne sont plus que deux traits, puis deux lignes minces où la lumière semble se concentrer, bouillonner, puis deux fils incandescents qui s'éteignent enfin, laissant encore subsister pendant un bref instant une trace claire et floue dont, à son tour, l'intensité lumineuse décroît très vite. Plus rien bientôt sur le mur ni sur le carrelage ne rappelle son emplacement. La jeune journaliste tourne son visage vers la droite et offre ses lèvres à l'homme qui se penche sur elle, le dos de sa tête masquant complètement à présent le visage de la jeune femme dont on ne voit plus que le cou où saille un muscle renflé tendu par la torsion. En pivotant le battant de bois verni découvre une étroite bande de cuivre au-delà de laquelle commence une moquette à fleurs. Le reflet des fleurs semble fuir en arrière dans le battant, entraîné par un mouvement giratoire. La chambre tout entière, avec son lit, son fauteuil, sa table, le téléphone, la fenêtre où se découpent les rectangles pâles des gratte-ciel dans le ciel vide, semble aussi entraînée dans une giration qui va s'accélérant jusqu'à ce qu'elle bascule tandis que la moquette s'élève à la verticale. Les paumes de ses mains tendues en avant pour se protéger heurtent la moquette dont il sent aussitôt le contact pelucheux sur sa joue. Au bout d'un moment, en forçant sur ses bras, il réussit à la repousser, puis reste là, à quatre pattes, respirant péniblement, tandis que peu à peu les formes tournoyantes ralentissent leur mouvement, s'immobilisent enfin. Parvenant de très loin à travers le bruit assourdissant du sang dans ses oreilles, il peut entendre le grondement ténu d'un avion qui traverse le ciel au-dessus de la ville. La coupe longitudinale du fuselage montre les rangées successives des sièges où sont assis comme des mannequins les passagers immobiles, le profil tourné vers l'avant, sommeillant, tenant déployés des journaux et des magazines, ou contemplant par les hublots la forêt de prismes, de cubes, de tours, qui se hérisse au-dessous d'eux à perte de

vue, creusée de puits, de canyons, d'étroites tranchées tout au fond desquelles s'allument et s'éteignent
les éclats roses des néons. Une coupe longitudinale de
la tête de profil permet de voir les principaux organes,
la masse ivoire du cerveau injecté de sang dont les
circonvolutions compliquées battent à chaque afflux,
la langue violette, les dents, les os poreux et la boule
exorbitée de l'œil, livide, enserrée dans ses racines
rouges, avec son iris, son cristallin, son corps vitreux,
et la mince membrane de la rétine sur laquelle les
images du monde viennent se plaquer, glisser, l'une
prenant la place de l'autre. Le fond de la moquette
est d'un vert bouteille. Les fleurs sont groupées en
bouquets de différentes grandeurs qui se répètent
régulièrement, composés de roses aux tons vineux, de
petites fleurs crème et de feuilles. Vus ainsi, de tout
près, les contours des fleurs, des feuilles, les nervures, obéissant à la trame, se découpent en escaliers.
Les couleurs fades, passées, se fondent dans une
harmonie vieillotte pour ouvrage de dames ou cane-
vas. De microscopiques débris, des poussières, des
brins de cheveux, des poils roulés en spirale, des
crins, parsèment les taches roses, mauves, vert amande
ou jaunâtres striées aux endroits les plus usés par les
raies parallèles et grises de la trame mise à nu.

DU MÊME AUTEUR

LE TRICHEUR, roman, 1945, épuisé.
LA CORDE RAIDE, 1947, épuisé.
LE VENT, TENTATIVE DE RESTITUTION D'UN RÉTABLE BAROQUE, roman, 1957.
L'HERBE, roman, 1958.
LA ROUTE DES FLANDRES, roman, 1960.
LE PALACE, roman, 1962.
HISTOIRE, roman, 1967.
LA BATAILLE DE PHARSALE, roman, 1969.
LES CORPS CONDUCTEURS, roman, 1971.
TRIPTYQUE, roman, 1973.
LEÇON DE CHOSES, roman, 1975.
LES GÉORGIQUES, roman, 1981.
LA CHEVELURE DE BÉRÉNICE, 1984.

Aux Éditions Skira :

ORION AVEUGLE (avec dix-neuf illustrations), coll. « Les sentiers de la création », 1970.

CET OUVRAGE A ÉTÉ COMPOSÉ ET ACHEVÉ
D'IMPRIMER LE VINGT-QUATRE OCTOBRE MIL NEUF
CENT QUATRE-VINGT-CINQ PAR L'IMPRIMERIE
FLOCH, À MAYENNE, ET INSCRIT DANS LES
REGISTRES DE L'ÉDITEUR SOUS LE NUMÉRO 2078

(23615)

Dépôt légal : octobre 1985